**LA CROÛTE
CASSÉE**

Mariève Desjardins
Marie-Michelle Garon

LA CROÛTE CASSÉE

Recettes simples pour bien manger sans se ruiner

Photographies
Dominique Lafond

Graphisme
Rachel Monnier

Parfum d'encre

Catalogage avant publication de Bibliothèque et
Archives nationales du Québec et Bibliothèque et Archives Canada

Desjardins, Mariève, 1976-
    La croûte cassée
    ISBN 978-2-923708-03-4
    1. Cuisine rapide. 2. Cuisine économique.
    I. Garon, Marie-Michelle. II. Titre.
    TxX833.5.D47 2008
    641.5'12
    C2008-941772-0

Graphisme, direction artistique
Rachel Monnier
www.rachelmonnier.ca

Conception grille de base
David Bombardier, Rachel Monnier

Photographies, direction artistique
Dominique Lafond
www.dominiquelafond.com

Éditeur
Parfum d'encre
101, Henry-Bessemer
Bois-des-Filions
(Québec) J6Z 4S9
Canada

TABLE DES MATIÈRES

INTRODUCTION _8

LES ÉPICES DE BASE _12

LE KIT DU CUISINIER CASSÉ _14

L'ESSENTIEL
DU GARDE-MANGER _18

L'ART DE GARDER
LES ALIMENTS AU FRAIS _20

PARTY À L'APPART _24

BOUFFE RÉCONFORTANTE POUR
BLUES DE NOVEMBRE _42

ARME DE SÉDUCTION MASSIVE _60

RAPIDO PRESTO _78

BOUCHER UN COIN _96

C'EST EN SPÉCIAL! _114

FINS DE MOIS _132

BOUFFE DE DÉPANNEUR _150

INDEX DES RECETTES _170

Introduction

Le livre que vous avez entre les mains contient 64 recettes, ainsi que de nombreuses variantes, toutes passées plusieurs fois à la casserole et testées sur des amis qui nous adressent encore la parole. Les sources de nos recettes sont multiples. La plupart sont le fruit de nos propres expérimentations, marquées par des réussites surprenantes (et quelques erreurs tout aussi surprenantes!). Certaines ont été empruntées à des membres consentants de notre entourage, d'autres proviennent de la bonne vieille tradition orale ou de fiches jaunies écrites à la main et tachées en couches si épaisses qu'un archéologue y trouverait son compte.

En écrivant ce bouquin, nous avons pensé à tous ceux qui perçoivent à tort la cuisine comme une tâche compliquée. Nul besoin de talent de grands chefs pour réussir un bon poulet rôti, un brownie décadent ou un succulent dip aux artichauts. *La croûte cassée* ne vous guidera pas vers les hautes sphères de la gastronomie, mais plutôt vers une cuisine accessible qui prône l'économie de moyens.

Il est possible de bien manger pour pas cher, et avec un minimum de savoir-faire. Suffit d'apprendre à cuisiner intelligemment. Pour nous, ça veut dire concocter soi-même de bons plats avec des ingrédients à bas prix, apprendre à faire cuire de grosses pièces de viande (parce que c'est plus abordable ainsi), de recycler les restants de table, bref, de faire bien avec presque rien. Preuve qu'on ne réinvente pas la roue, nos grands-mères faisaient tout cela bien avant nous.

Nos recettes sont simples. Ça, tous les livres de recettes l'écrivent, mais nous, c'est vrai. Nous n'avons jamais hésité à prendre des raccourcis pour ne pas compliquer les choses inutilement, sans pour autant tourner les coins ronds. Nous utilisons des ingrédients disponibles partout, que vous habitiez à Chibougamau ou en plein cœur du Plateau. Pas d'huile de truffe, de confiture d'airelles ni d'ingrédient mystérieux que vous n'avez jamais trouvé dans les rayons des épiceries.

Les huit sections du livre présentent des recettes adaptées à diverses situations du quotidien : épater ses amis lors de partys, réconforter quand se pointent les blues de novembre, mener une opération de charme, manger comme un roi en moins de 20 minutes top chrono, faire face aux fins de mois difficiles, remplir un creux autrement qu'en pigeant dans les machines distributrices de calories, profiter des spéciaux à l'épicerie ou concocter un festin après un simple détour au dépanneur.

La croûte cassée contient également une foule de conseils judicieux pour apprivoiser cet espace sacré qu'est la cuisine. Quel est l'arsenal minimal pour se lancer dans la popote ? Quels sont les indispensables à conserver dans le garde-manger pour ne pas être pris au dépourvu lorsque les amis débarquent à l'improviste. Comment garnir votre tiroir à épices pour relever vos plats avec autre chose qu'un sachet de sarriette éventée ? Combien de temps les aliments se conservent-ils dans le frigo avant de gigoter sur place ?

Nous souhaitons que notre approche conviviale inspire les plus récalcitrants et qu'ils ne se sentent plus démunis devant un fourneau (vous savez, cette chose carrée avec une porte et des boutons), que les mangeurs endurcis à grands coups de repas congelés et de livraisons « en-moins-de-30-minutes-ou-c'est-gratuit » prennent goût à la vraie bouffe, que ceux qui sont cassés jusqu'au cou réalisent qu'il y a une vie après le macaroni au fromage et les soupes en sachet. Et que tous partagent notre plaisir fou à faire à manger.

Cuisiner ne se fait pas sans un peu d'effort. Toutes nos recettes demandent un peu plus que d'appuyer sur le piton « start » du micro-ondes. Et quand on parle d'économie de moyens, on ne parle pas d'économie de vaisselle (là, pas de solution miracle autre que le lave-vaisselle !). Mais la vérité, c'est qu'en échange de votre ardeur et de toute cette vaisselle salie, cuisiner vous remplira de l'incomparable fierté de l'avoir fait vous-même. Et ça, aucun repas préemballé ne peut vous le donner...

Qui sommes-nous ?

Nous ne sommes pas chefs, même si nos amis nous supplient fréquemment de révéler nos secrets culinaires. Nous ne sommes pas nutritionnistes, même si nous pouvons énumérer dans l'ordre et dans le désordre tous les éléments des quatre groupes alimentaires. Nous ne sommes pas de parfaites hôtes, même si nous maîtrisons parfaitement l'art de recevoir dans l'imperfection. Ce que nous sommes pour sûr : des cuisinières délurées, astucieuses et abonnées à la bonne franquette. Des gourmandes impénitentes, inventives et parfois obsessives (juste un peu).

À la base de ce projet de livre de recettes, il y a une amitié... Nous avons traversé ensemble l'adolescence, cet âge ingrat mais fertile en imagination. Après avoir épuisé le bottin rimouskois avec nos canulars téléphoniques, nous avons découvert un autre formidable terrain de jeu, la cuisine, au grand désarroi de nos parents qui trouvaient le téléphone beaucoup moins salissant.

Plus tard, étudiantes et cassées, nous avons eu une nouvelle révélation en voyant nos amis fauchés dépenser leur budget mensuel en repas de cafétéria : la seule façon de passer à travers ces années de vaches maigres sans fondre comme neige au soleil, c'était de cuisiner à la maison. Ainsi a débuté notre exploration des étals de légumes et de fruits « en spécial ». Envers et contre tout, nous avons mijoté des potages, parfois même jusqu'aux petites heures du matin, bravé le ridicule avec plus d'une erreur culinaire (dont une mémorable sauce aux tomates à l'Amaretto... qui, dieu merci, ne figure pas en ces pages) et cuisiné beaucoup jusqu'à devenir, disons-le, d'assez bonnes cuisinières.

Des années après avoir fait brûler nos premières crêpes, nous nous retrouvons aux fourneaux, cette fois avec une solide expérience culinaire et un vif désir de partager notre goût pour le beau-bon-pas cher.

Profils culinaires

Marie-Michelle

- On peut assez facilement déduire ce qu'elle a cuisiné dans les derniers jours en consultant son tablier.
- Irrégularités du métier de comédienne obligent, elle congèle tout compulsivement et s'autoproclame « reine du Congélateur ».
- Un peu bonnasse. Si ce n'était d'elle, tous les légumes seraient coupés grossièrement...

Mariève

- Amoureuse des mots et de la bouffe, cette journaliste assume son obsession pour les livres de recettes. Elle les dévore avant de se coucher et se réveille la nuit pour imaginer de nouveaux mariages gustatifs.
- Elle voudrait faire ses bouillons maison et sa propre mayonnaise, mais il semble que sa paresse en la matière surpasse de loin sa bonne volonté.
- Aussi bordélique que Marie-Michelle, mais s'attaque principalement au plancher de la cuisine.

Quelques conseils préliminaires

Certains livres dépensent beaucoup d'énergie pour faire croire que les recettes vont vraiment ressembler aux photos hypermanucurées qui les accompagnent (et qui sont à la cuisine ce qu'un mannequin de 16 ans, 6 pieds deux pouces est à la mode!). Avec *La croûte cassée*, débarrassez-vous de votre peur bleue des ratages et sentez-vous bien à l'aise de tacher votre livre (nous avons d'ailleurs déjà commencé le travail). Nous ne garantissons pas que nos recettes sont inratables, simplement faute de pouvoir fournir à chaque détenteur de ce livre un conseiller se déplaçant à domicile pour s'assurer que les instructions sont suivies à la lettre. Voici tout de même nos conseils de base pour limiter les ratées. Après ça, promis, on ne vous gaze plus avec ça!

- **Lisez toujours la recette au complet** avant de commencer. Vous saurez ainsi mieux à quoi vous en tenir, et vous pourrez identifier les principaux instruments dont vous aurez besoin pour réaliser la recette.

- **Rassemblez tous les ingrédients nécessaires** pour effectuer la recette avant de vous lancer dans la préparation. Cela vous évitera de vous rendre compte en cours de préparation que vous n'avez plus de sucre, ou que votre coloc a utilisé la dernière conserve de tomates dans l'étagère. Profitez-en pour couper ce qui doit être coupé.

- Cuisiner demande un minimum de planification. **Assurez-vous d'avoir suffisamment de temps** devant vous. Lorsqu'on s'y prend à la dernière minute, l'estomac dans les talons, on est souvent tenté par les raccourcis. Deux avenues s'ouvrent alors : brûler des étapes de la préparation et ainsi peut-être rater la recette, ou opter pour la solution facile en craquant pour le repas congelé. Dans les deux cas, c'est bien triste.

- N'ayez pas peur de **goûter** ce que vous préparez ni de réajuster les assaisonnements au besoin. Vous apprendrez ainsi à ne pas être victime d'une recette.

- Dans la grande famille des poêles et des fourneaux, tous ne sont pas égaux. **Certains fours chauffent plus, d'autres moins.** Apprenez donc à connaître le vôtre. Se munir d'un thermomètre à four peut être utile pour faire les réajustements nécessaires.

- Si vous êtes un néophyte derrière les fourneaux, **il se peut que vous preniez plus que le temps de préparation suggéré** pour confectionner vos recettes. Ne vous découragez surtout pas. Avec la pratique, l'oignon que vous coupez en 20 minutes n'en prendra que 2.

LES ÉPICES DE BASE

Que seraient nos recettes sans les épices, ce remède si efficace pour contrer la monotonie et rehausser une cuisine à petit budget ? Voici nos indispensables, celles que vous allez vraiment utiliser (avouez que l'étiquette jaunie du pot de sarriette dans le fond de l'armoire en dit long sur son usage). Achetez vos épices en petites quantités pour vous en servir avant qu'elles ne perdent leur saveur.

* **TOUTE-ÉPICE**
À parts égales, mélangez cannelle, muscade, poivre noir et clou de girofle moulu.

** **FINES HERBES**
Mélangez thym, basilic, origan et romarin en proportions à peu près égales.

*** **CARI**
Mélangez des quantités équivalentes de curcuma, de cumin et de gingembre moulu.

**** **ÉPICES À COUSCOUS**
On les trouve généralement en épicerie, mais vous pouvez faire votre propre version en mélangeant 15 ml de paprika et 5 ml de chacune des épices suivantes : cannelle, gingembre, cumin, coriandre, curcuma, et une bonne pincée de muscade, de clou de girofle et de piment de Cayenne. Aussi bien dire que toute la pharmacie y passe !

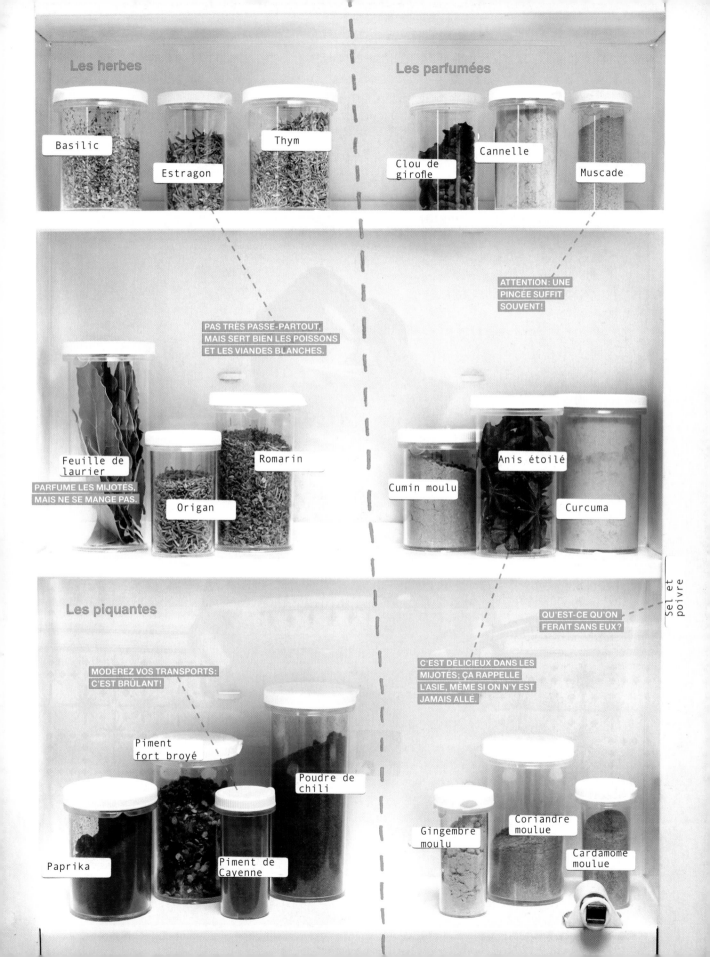

Les herbes

Basilic

Estragon

Thym

Les parfumées

Clou de girofle

Cannelle

Muscade

ATTENTION: UNE PINCÉE SUFFIT SOUVENT!

PAS TRÈS PASSE-PARTOUT, MAIS SERT BIEN LES POISSONS ET LES VIANDES BLANCHES.

Feuille de laurier

PARFUME LES MIJOTÉS, MAIS NE SE MANGE PAS.

Origan

Romarin

Cumin moulu

Anis étoilé

Curcuma

Les piquantes

MODÉREZ VOS TRANSPORTS: C'EST BRÛLANT!

Piment fort broyé

Poudre de chili

Paprika

Piment de Cayenne

QU'EST-CE QU'ON FERAIT SANS EUX?

C'EST DÉLICIEUX DANS LES MIJOTÉS; ÇA RAPPELLE L'ASIE, MÊME SI ON N'Y EST JAMAIS ALLÉ.

Gingembre moulu

Coriandre moulue

Cardamome moulue

Sel et poivre

LE KIT DU CUISINIER CASSÉ

Inutile de surcharger les armoires d'une tonne de gadgets qui prennent la poussière. Caneleur, lèche-frite, écumoir... Vous ne savez pas à quoi ils servent ? Nous non plus et honnêtement, ce n'est pas bien grave. Voici l'attirail minimal pour être efficace dans une cuisine.

Spatule POUR FLIPPER!

Fouet

Cuillère de bois

Louche

Ouvre-boîte

Spatule POUR MELANGER ET POUR RACLER

Pinces

Pellicule plastique

Pile-patates

Papier aluminium

Couteau à pain

Grand couteau

Petit couteau

INVESTISSEZ, ÇA VAUT LA PEINE

Pinceau à badigeonner

Éplucheur

Tire-bouchon

Grande cuillère

Essuie-tout

Planches

Grosse cocotte allant au four

2 chaudrons avec couvercle
1 PLUS GRAND, 1 PLUS PETIT

Moule à muffins

Blender

Bols
1 GROS, 1 MOYEN

Plat rectangulaire à lasagne

Passoire

Poêle anti-adhésive de
grosseur moyenne

Plaque à biscuit

Râpe
ON PEUT AUSSI L'UTILISER POUR
FAIRE DES ZESTES AGRUMES

Robot-culinaire

PAS SEXY
À DEMANDER
EN CADEAU,
MAIS VRAIMENT
PRATIQUE

Moule rond ou carré

Batteur électrique

Cuillères à mesurer

Tasse à mesurer

Moule à pain

Mitaines de four

L'ESSENTIEL DU GARDE-MANGER

Pour meubler les armoires de la cuisine après un déménagement, voici les aliments à avoir sous la main.

RIZ

PATE DE TOMATES

PATES ALIMENTAIRES

TOMATES EN CONSERVE

BOUILLON (EN CONCENTRE- EN CUBES- EN CONSERVE)

SAUCE PIQUANTE (TABASCO- PIRI-PIRI- SAMBAL OLEK)

OIGNONS

LEGUMINEUSES EN CONSERVE

AIL

MOUTARDE DE DIJON

POMMES DE TERRE

HUILE D'OLIVE ET/OU VEGETALE

SUCRE

VINAIGRE (DE VIN-DE CIDRE)

MIEL OU SIROP D'ERABLE

FARINE

SAUCE SOYA

MAYONNAISE

THON EN CONSERVE

POP-CORN

VIN

CUISINE

CAFE

MAIS EN CONSERVE

CHOCOLAT

Frigo

Plusieurs aliments achetés à l'épicerie ont une date de péremption claire qu'on peut parfois étirer quelques jours sans taquiner l'indigestion. Par contre, il est difficile de déterminer si une viande ou un poisson est encore bon seulement en le regardant ou en le sentant.

- La viande en morceaux se conserve jusqu'à trois jours au frigo ; hachée, elle doit se consommer dans les 24 heures. Le poisson ne se garde qu'un ou deux jours. Mangez aussi vos précieux restants de table dans les trois jours qui suivent. Quant aux légumes frais, ils se conservent sans problème une semaine (beaucoup plus pour les patates, carottes et oignons).

- Dans le doute, il est plus prudent de jeter, mais pour éviter que la quête d'un aliment se transforme en une véritable fouille archéologique, faites le ménage du frigo régulièrement. Un frigo en désordre est aussi plus propice à la prolifération des bactéries.

- Mettez les aliments au frais dans les deux heures qui suivent l'achat.

- Ne placez pas vos aliments plus périssables (lait, œufs, viandes) dans la porte du frigo. Comme celle-ci s'ouvre souvent, ils resteront frais moins longtemps.

Congélo

Le congélo est l'allié du cuisinier cassé. Il permet d'économiser temps et argent, de profiter des spéciaux ou simplement de varier les menus (pitié, pas un 4ᵉ repas de chili consécutif !).

- Enveloppez bien ce que vous congelez. S'il y a des bouts à l'air, ça risque de sécher et d'altérer la texture et le goût des aliments.

- Congelez les plats cuisinés en petites portions pour qu'ils refroidissent plus rapidement. C'est aussi plus pratique au moment de les consommer.

- Le plat congelé doit être bon réchauffé. Les patates, les salades, les melons, les préparations à base de crème, de blancs d'œufs ou de mayonnaise ne supportent pas très bien la congélation. La viande cuite se congèle mieux dans un plat en sauce ou dans un bouillon.

- Congelez les fruits achetés en trop pour vos smoothies ou vos compotes. Pour qu'ils ne congèlent pas en tas informes, étendez les fruits lavés et coupés sur une plaque et placez-les au congélateur. Une fois congelés, transférez dans des contenants en plastique.

- La congélation prolonge la conservation des aliments, mais ne les rend pas éternels. Tâchez de consommez vos viandes dans un délai de six mois. Quant à vos plats cuisinés, mangez-les dans les trois mois qui suivent.

- La viande et le poisson doivent être encore frais au moment d'être congelés. Informez-vous si ce que vous achetez se congèle car parfois, ça a déjà été congelé. Une deuxième congélation serait mortelle pour le goût et déconseillé du point de vue salubrité. Règle importante : une fois un plat ou une viande décongelé, on ne peut plus recongeler.

- Décongelez vos aliments au frigo plutôt qu'à l'air libre. Ne décongelez pas la viande au micro-ondes car il se peut qu'elle cuise en partie et devienne coriace.

L'ART DE GARDER LES ALIMENTS AU FRAIS

Combien de temps les aliments se conservent-ils avant de provoquer des cataclysmes intestinaux ? Voici quelques pistes.

Comment utiliser cet ouvrage

Nous avons divisé ce livre en huit sections qui collent aux situations du quotidien. Ceux qui sont habitués à la traditionnelle délimitation « entrées-plats principaux-desserts », peuvent consulter l'index à la fin du livre.

Vous retrouverez au fil des pages les encadrés suivants :

POUR VARIER Des variantes qui changent souvent du tout au tout la recette proposée.

VERSION DE LUXE Pour ajouter une petite touche qui épate. Ou dépasser vos limites, à la fois personnelles et de crédit !

Des trucs pour recycler de façon originale les restants de table et ainsi contrer le gaspillage.

PARTY À

Hélio

Florence

Manue

Gervais

Babette Léa

L'APPART

Simon-Pierre

Alex

Alex?

Lucie

Jipi

VOUS VERREZ, VOTRE DIP FERA UN MALHEUR.

FAITES-EN AUSSI PROFITER ALEX: IL EST PEU PROBABLE QU'IL SE METTE À CHANTER LA BOUCHE PLEINE.

Pour ı Une horde de fêtards
Temps ı Un gros 5 minutes
de préparation

Vous êtes tanné qu' Alex et sa maudite guitare soient le clou du party ? Servez ce dip dans un bol en pain. Succès garanti.

DIP AUX ARTICHAUTS

- 1 conserve de **398 ml** de cœurs d'artichauts
- **125 ml (½ tasse)** de parmesan ou de romano râpé
- **250 ml (1 tasse)** de mayonnaise
- Poivre au goût
- Pain de fesse, pour la version cochonne

01 Allumez le four à 350 ºF. **02** Égouttez les artichauts et hachez-les grossièrement. **03** Dans un bol, mélangez les artichauts avec le fromage, la mayo et le poivre. Réservez. **04** À cette étape, l'idée est de former un bol avec le pain. Coupez le dessus du pain et videz-le de sa mie. Ne la jetez pas : faites-en plutôt de gros croûtons. **05** Dans le bol de pain, mettez le mélange aux artichauts. **06** Posez le pain sur une plaque et mettez au four 15 minutes. **07** À mi-cuisson, ajoutez les croûtons sur la plaque et laissez griller. **08** Servez chaud.

POUR VARIER

Ajoutez des bébés épinards hachés au mélange. Vous vous sentirez ainsi moins coupable pour la tasse de mayo. Vous pouvez remplacer le parmesan par un fromage râpé de votre choix. Autre alternative, ajoutez 1 à 2 gousses d'ail ou 2-3 oignons verts hachés si le cœur vous en dit et que vous ne craignez pas trop l'haleine qui vient avec.

UNE FOIS LE BOL EN PAIN VIDÉ, IL SE PEUT QUE VOS INVITÉS LE DÉCHIRENT FRÉNÉTIQUEMENT ET LE FASSE DISPARAÎTRE POUR DE BON... AVANTAGE COLLATÉRAL APPRÉCIABLE : PAS DE DÉCHETS NI DE VAISSELLE À FAIRE !

| Pour | 8 personnes |
| Temps | 7 minutes |

- ½ paquet de tofu (175 à 225 g)
- 37,5 ml (2 ½ c. à soupe) d'huile
- 37,5 ml (2 ½ c. à soupe) de mayonnaise
- 10 ml (2 c. à thé) de moutarde de Dijon
- Le jus d'**un** citron
- 1 gousse d'ail
- 1 petite carotte râpée
- 2 oignons verts hachés
- 125 ml (½ tasse) d'épinards hachés
- 125 ml (½ tasse) de persil ou de coriandre fraîche (facultatif)
- 5 ml (1 c. à thé) de coriandre moulue
- 2,5 ml (½ c. à thé) de curcuma
- Sel et poivre au goût
- 15 ml (1 c. à soupe) d'eau

SPREAD AU TOFU

Pour

vos amis chez qui le patchouli n'a pas très bonne réputation restez évasif quant à l'ingrédient principal de cette trempette.

01 Émiettez grossièrement le tofu dans le bol d'un robot culinaire, ajoutez l'huile, la mayonnaise, la moutarde, le jus de citron, l'ail et actionnez le robot jusqu'à l'obtention d'une texture granuleuse (à peu près 10 secondes). **02** Ajoutez les légumes, les assaisonnements et l'eau, actionnez de nouveau le robot jusqu'à obtenir la texture d'une tartinade. **03** Ajustez les épices et voilà! Comme tartinade sur des biscottes, en sandwich dans un pain pita, comme trempette avec des carottes : ce spread au tofu ne cessera de nous surprendre par sa simplicité et surtout, par son faible coût de production! Le tofu est un aliment mal-aimé.

IL EST GRAND TEMPS DE METTRE FIN AUX PRÉJUGÉS : ADOPTEZ UN TOFU /-888-LOV-TOFU

POUR VARIER

Une version rafraîchissante qui peut aussi bien accompagner les journées chaudes que les plats épicés : au robot culinaire, mélangez ¼ de paquet de tofu, 250 ml de yogourt nature, le jus d'un demi citron, 1 grosse gousse d'ail, 125 ml de menthe fraîche hachée. Transvidez dans un bol et ajoutez un ½ concombre et 6 radis coupés en dés fins. Salez et poivrez au goût.

Pour | 4 à 6 convives bien élevés
Temps | 45 minutes de cuisson
+ 8 minutes de préparation

- **1** grosse aubergine
  ou encore **2** petites
- **60 ml** (¼ de tasse) d'huile d'olive
- **2** gousses d'ail hachées
- **7,5 ml** (½ c. à soupe)
  de cumin moulu
- **5 ml** (1 c. à thé) de sucre
  ou de miel (facultatif)
- Sel et poivre au goût

Si vous avez peur de passer pour un snob, vous pouvez toujours baptiser cette recette « écrapoutis d'aubergine »…

CAVIAR D'AUBERGINE

Quand ça commence à sentir bon, ça y est !

01 Allumez le four à 350 °F. **02** Mettez l'aubergine au four avec sa pelure sur une surface quelconque (tôle à biscuit, morceau de papier d'aluminium) et oubliez-la un bon 45 minutes. **03** Laissez-la ensuite refroidir quelques instants, histoire de récupérer sa chair à la cuillère sans craindre de vous brûler. Les plus téméraires n'attendront pas plus de 5 minutes. **04** Dans une poêle, versez 45 ml d'huile d'olive et faites revenir l'ail et le cumin quelques secondes. **05** Ajoutez la chair de l'aubergine et continuez la cuisson encore 2 minutes. **06** Mélangez les ingrédients au robot culinaire. **07** Ajoutez une dernière cuillerée d'huile d'olive puis rectifiez l'assaisonnement. L'aubergine est parfois un peu acide. Pour contrer cette acidité, ajoutez un peu de sucre ou de miel. Entre nous, personne ne se plaindra si votre caviar a un petit goût sucré…

Ça améliorera la texture

RECYCLAGE

Une baguette de pain est abandonnée sur le comptoir ? C'est l'occasion rêvée d'en faire des croûtons, passés quelques instants au four, que vous servirez tartinés du caviar. Plus de classe que ça, vous vous convertissez à la cuisine moléculaire.

Pour ı Environ 6 personnes
Temps ı 15 minutes

- **1** sac de pains pita
- **60 ml** (**¼ de tasse**) d'huile d'olive
- Sel et poivre
- Épices au goût (pas de panique, vous trouverez plus bas de quoi vous inspirer)

CHIPS DE PITA

Sans vouloir bouder la patate, disons qu'elle s'invite un peu trop souvent dans nos partys. Voici donc une alternative aux éternelles chips.

01 Allumez le four à 350 °F. **02** Coupez les pitas en 6 ou 8 petits triangles. Mettez les morceaux de pitas dans un grand bol. **03** Arrosez d'huile d'olive, ajoutez les épices et mélangez avec les mains afin de bien enrober les pitas. Allez-y avec vigueur. C'est fait fort, ces petites bêtes-là. **04** Répandez nonchalamment les triangles de pitas sur une tôle à biscuit et enfournez 5-7 minutes.

05 Au cas où vous ne l'auriez pas encore fait à ce stade, lavez-vous les mains...

POUR VARIER

Voici nos suggestions d'assaisonnements. Sortez votre passeport, on est parti en grande!

À L'INDIENNE: Ajoutez le sel et le poivre + 10 ml de cumin moulu (ou encore mieux, un mélange de cumin moulu et en grains), 5 ml de curcuma, 5 ml de cari moulu.

À LA LIBANAISE: Ajoutez le poivre + 10 ml de sumac, 5 ml de sel d'oignon et 20 ml de graines de sésame. Si vous en avez, prenez soin d'ajouter quelques gouttes d'huile de sésame à l'huile d'olive.

À LA CAJUN: Ajoutez 5 ml de sucre, 5 ml de sel d'oignon, 5 ml de paprika, 2,5 ml de Cayenne, 2,5 ml de cumin, 5 ml d'origan et 5 ml de thym séché.

Pour | Au moins 6 portions
Temps | 35 minutes

PÂTÉ DE FOIE DE VOLAILLE

- 1 petit oignon haché
- 15 ml (1 c. à soupe) de beurre
- 220 g (½ livre) de foies de volaille
- 15 ml (1 c. à soupe) de cognac, de brandy ou de calvados (facultatif)
- 80 ml (⅓ tasse) de lait
- 1 œuf

- 30 ml (2 c. à soupe) de farine
- 5 ml (1 c. à thé) de sirop d'érable, de miel ou de confiture
- 7,5 ml (½ c. à soupe) de gingembre en poudre
- 2,5 ml (½ c. à thé) de «Tout épice» (p. 12)
- 2,5 ml (½ c. à thé) de sel
- 2,5 ml (½ c. à thé) de poivre

01 Huilez un petit moule à pain rectangulaire et allumez le four à 350 °F. **02** Dans une poêle, faites revenir l'oignon dans le beurre deux minutes à feu moyen-élevé. **03** Ajoutez les foies de volaille et faites brunir une minute de chaque côté. Retirez du rond et versez l'alcool. **04** Au robot culinaire, mélangez les foies, le lait, l'œuf, la farine, le sirop d'érable et les épices jusqu'à l'obtention d'une texture lisse, sans grumeau. Vous pouvez varier les épices, mais restez zen dans les quantités! **05** Mettez au four 25 minutes, jusqu'à ce que vous puissiez enfoncer une fourchette au centre et qu'elle ressorte propre. **06** Laissez refroidir dans le moule avant de servir.

COMME DIT LE PROVERBE CHINOIS: «TROP, C'EST COMME PAS ASSEZ.»

RECYCLAGE VG

Servez en entrée sur des biscottes avec de la moutarde ou encore avec la confiture d'oignons reçue à Noël à laquelle vous cherchiez encore une utilité. Ce pâté est aussi délicieux en sandwich avec de la luzerne, du fromage et de la moutarde.

GLISSER DANS UNE CONVERSATION
QU'ON FAIT SON PROPRE
PÂTÉ DE FOIE DE VOLAILLE, ÇA EN JETTE ...
FAITES LE TEST.

PAR PORTION
$0.23

Pour | Les fins et les fous
Temps | 10 minutes

- **1** conserve de pois chiche
- **60 ml** (**¼ tasse**) d'huile d'olive
  ou de canola
- Le jus d'**un** citron
- **1** grosse gousse d'ail
- **30 ml** (**2 c. à soupe**)
  de beurre de sésame
  (tahini pour les intimes)
- **80 ml** (**⅓ tasse**) d'eau pour
  une texture plus onctueuse
- **5 ml** (**1 c. à thé**) de paprika
- **5 ml** (**1 c. à thé**)
  de cumin moulu
- Sel et poivre au goût

HUMUS

*Finissons-en tout de suite
avec notre mauvais jeu de mots :
    pas chiche, le pois chiche.
Ha, ha, ha. Assez ri. Sortez vos ouvre-boîtes !*

01 Mélangez les pois chiche, l'huile, le jus de citron, l'ail, le beurre de sésame et l'eau au robot culinaire jusqu'à obtenir une texture lisse. **02** Ajoutez les épices et mélangez à nouveau. **03** Goûtez et ajustez les assaisonnements au besoin.

04 Servez avec des crudités, des pitas grillés, ou tartinez dans vos sandwichs.

POUR VARIER

Lorsque vous n'impressionnerez plus personne avec votre humus, sortez votre combine secrète : le baba ghanouj. Mixez à votre humus la chair d'une aubergine cuite au four (au moins 45 minutes à 350 °F). Vous pouvez pousser la fantaisie jusqu'à ajouter 4-5 gouttes d'huile de sésame.

Vous avez vu un peu trop grand avec l'humus et il vous reste 8 pots au frigo ? Ajoutez-en dans vos soupes et potages (p. 148). Avec le chou-fleur, la courgette ou la betterave, c'est particulièrement bon.

Pour ı 8 amigos con sombreros
Temps ı 8 minutes

GUACAMOLE

- ¼ à ½ botte de coriandre fraîche hachée (selon votre amour pour cette herbe)
- **3** avocats bien mûrs
- Le jus d'**un** citron ou de **2** limes

- **Quelques gouttes** de tabasco, de piri-piri ou d'une autre sauce qui enflamme le palais
- ½ oignon rouge en dés fins ou **3** oignons verts en rondelles
- **2** tomates italiennes en dés
- Sel et poivre au goût

01 D'abord, lavez bien la coriandre. (Jetez le surplus de coriandre au congélateur dans un sac en plastique pour vos soupes asiatiques et autres bouillons clairs.) **02** Coupez l'avocat en deux et retirez le noyau. Ôtez la chair de l'avocat à la cuillère et placez-la dans votre mortier en pierre volcanique (!) ou dans un simple bol. **03** Réduisez en purée à l'aide d'une fourchette (ou d'un pilon) et ajoutez le jus de citron, la sauce piquante, l'oignon, la coriandre et les tomates.

04 Ne soyez pas victime d'une recette et réajustez la quantité de sauce piquante, de sel et poivre, de citron et de coriandre selon vos goûts. **05** Servez avec des chips de maïs, de la crème sûre et de la salsa. Si vous avez de l'énergie à revendre, faites gratiner vos chips de 2 à 3 minutes.

POUR VARIER

Vos amis arrivent dans 5 minutes et vous n'avez encore rien préparé ? Pas de panique. Réduisez l'avocat en purée et mélangez avec la salsa du commerce (environ 3 bonnes cuillérées par avocat). Lâchez deux ou trois *Arriba* ! et l'affaire est dans le sac.

Pour ı 24 jolies meringues
Temps ı 12 minutes de préparation
+ 1 heure et demie de cuisson

- 4 blancs d'œufs (Gardez les jaunes et essayez la version de luxe proposée plus bas…)
- 250 ml (1 tasse) de sucre
- 1,25 ml (¼ c. à thé) de crème de tarte (ça se trouve généralement au rayon des épices…)
- 1,25 ml (¼ c. à thé) de sel
- ½ tablette de chocolat noir

MERINGUES AU CHOCOLAT

01 Allumez le four à 200 ºF. **02** Huilez et enfarinez une tôle à biscuit. **03** Dans un bol, battez les blancs d'œufs en neige avec le sucre, la crème de tarte et le sel environ 8 minutes à force maximale ou jusqu'à l'obtention de pics fermes. **04** Versez le mélange dans un sac dit Ziploc, puis percez un petit trou à une des extrémités. À l'aide de votre douille improvisée, disposez sur la tôle 24 petits tas, qui deviendront meringue comme chenille devient papillon. Si l'apparence vous importe peu, oubliez la douille, prenez une cuillère et laissez tomber le mélange en mottes sur la plaque. **05** Enfournez les meringues environ

NON, MAIS QUELLE POÉSIE !

EXIT, LA POÉSIE

1 heure et demie ou jusqu'à ce qu'elles durcissent. **06** Faites fondre le chocolat au micro-ondes en vous assurant qu'il ne cuise pas. **07** Trempez vos meringues dans le chocolat fondu, laissez refroidir quelques instants et servez à vos amis complètement gagas.

VERSION DE LUXE
ICI, NE TREMPEZ PAS VOS MERINGUES DANS LE CHOCOLAT. DANS UNE CASSEROLE, FAITES CHAUFFER À FEU DOUX LES JAUNES D'OEUFS ET 100 G DE CHOCOLAT EN MORCEAUX EN BRASSANT CONSTAMMENT PENDANT 1 MINUTE. AJOUTEZ 250 ML DE CRÈME 35% ET BRASSEZ À NOUVEAU CONSTAMMENT ENVIRON 10 MINUTES, JUSQU'À CE QUE LE MÉLANGE ÉPAISSISSE. LAISSEZ REFROIDIR. METTEZ CETTE CRÈME ENTRE 2 MERINGUES ET VOUS OBTIENDREZ DES SANDWICHS ABSOLUMENT DÉCADENTS ! S'IL RESTE DE LA CRÈME CHOCOLATÉE, VOUS POUVEZ LA SERVIR AVEC DES FRUITS FRAIS.

OU JUSQU'À TENDINITE. C'EST SELON

Bouffe réconfortante pour blues de novembre

Novembre. Il pleut, il fait froid et vous venez d'appendre que votre nouveau voisin d'au-dessus joue de la batterie et aime bien pratiquer la nuit. Soyons francs : un des grands (pour ne pas dire le seul) bonheur du mois de novembre, c'est de ne pas se sentir coupable de rester à l'intérieur. Essayez ces plats qui ne demandent qu'à cuire lentement en parfumant la pièce de délicieuses odeurs. Et vous ? Vous n'aurez qu'à attendre au chaud l'heure du repas… et le retour du printemps !

Pour | 8 personnes ou une seule
en peine d'amour
Temps | 15 minutes de préparation
+ 18 minutes de cuisson

- 120 g de chocolat noir
  ou 160 ml (⅔ tasse)
  de brisures de chocolat
- 160 ml (⅔ tasse) de beurre
- 2 œufs
- 180 ml (¾ tasse) de sucre
- 160 ml (⅔ tasse) de farine

Pourquoi souhaiter de la compagnie quand on

BROWNIES

peut si facilement être comblé avec une assiette de brownies?

01 Allumez le four à 350 °F. **02** Beurrez un moule rond ou carré de 8 pouces. **03** Dans une casserole à feu doux ou au micro-ondes à basse intensité, faites fondre le chocolat et le beurre. Laissez refroidir. **04** Dans un gros bol, fouettez les œufs et le sucre avec un batteur électrique de 3 à 4 minutes, jusqu'à obtenir une texture mousseuse. **05** Ajoutez le mélange de chocolat tiède* au mélange d'œufs. **06** À l'aide d'une spatule, incorporez la farine à la préparation jusqu'à l'obtention d'une texture homogène. **07** Transvidez le mélange à brownies dans le moule. **08** Enfournez 17 minutes pour une texture très fondante, 20 minutes pour une texture de type gâteau. **09** Retirez du four et laissez refroidir sur le comptoir. **10** Servez-vous un grand verre de lait bien froid et installez-vous devant un film d'horreur des années 1930.

* TROP CHAUD, IL CUIRA LES OEUFS.

BON, RIEN NE VOUS EMPÊCHE DE PIGER À MÊME LE MOULE LORSQUE VOUS PASSEZ À CÔTÉ DU COMPTOIR; C'EST VOTRE JARDIN SECRET...

POUR VARIER

Si l'écureuil est votre totem amérindien, vous pouvez satisfaire vos pulsions en ajoutant 125 ml de noix de Grenoble hachées à votre mélange à brownies en même temps que la farine.

Pour | 4 personnes
Temps | 1 heure

SOUPE À L'OIGNON GRATINÉE

Plus réconfortante qu'un bouillon de poulet pour l'âme, presque aussi efficace qu'un anti-dépresseur.

- **6** oignons jaunes, disons **7** pour la chance
- **30 ml** (**2 c. à soupe**) de beurre
- **15 ml** (**1 c. à soupe**) de sucre
- **1** bouteille de bière
- **5 ml** (**1 c. à thé**) de thym séché

- Sel et poivre au goût
- **1** feuille de laurier
- **2,5 litres** (**5 tasses**) de bouillon de bœuf
- **4** tranches de pain toasté
- **250 ml** (**1 tasse**) de fromage cheddar fort râpé

01 Coupez les oignons en rondelles. Profitez-en pour pleurer un bon coup. Si votre coloc vous aperçoit, vous pourrez mettre ça sur le compte des oignons. **02** Dans une grande casserole, faites fondre le beurre et ajoutez les oignons et le sucre. Faites revenir à feu moyen au moins 25 minutes. Entre-temps, passez un coup de fil à votre mère si l'envie vous prend de vous confier. **03** Lorsque les oignons sont légèrement dorés, versez la bière et portez à ébullition. **04** Ajoutez les assaisonnements et le bouillon et laissez mijoter encore 20 minutes.

05 Rectifiez l'assaisonnement au besoin.

06 Versez la soupe dans des bols allant au four, coiffez d'une tranche de pain toasté et garnissez généreusement de fromage râpé.

07 Placez les bols de soupe sur une plaque de cuisson, à 350 °F, environ 7 minutes, puis quelques instants à «broil», jusqu'à ce que le fromage crépite et brunisse légèrement.

RECYCLAGE

C'est le temps de passer votre restant de baguette ou de pain sec. Quand il sera grillé et imbibé dans le bouillon de la soupe, vous n'y verrez que du feu.

Pour ı Toute la parenté, plusieurs amis et quelques connaissances
Temps ı 5 minutes de préparation + 3 ½ heures de cuisson

- 1 gros jambon sur l'os (optez pour l'épaule de porc « style pic-nic » à l'épicerie ou pour l'épaule ou la fesse chez le boucher.)
- 60 ml (¼ tasse) de mélasse ou de cassonade
- 30 ml (2 c. à soupe) de moutarde sèche
- 6 clous de girofles
- 3 feuilles de laurier
- 3 gousses d'ail entières
- 1 bouteille de bière restante du party de la veille (facultatif)

SI VOUS CHOISISSEZ CETTE DERNIÈRE OPTION, LA PLUS SAVOUREUSE, VOUS N'AUREZ PAS À DESSALER LE JAMBON.

GROS JAMBON

01 Empoignez votre gros jambon, prenez le temps de vivre votre émotion, enlevez-lui le filet seyant qui le recouvre puis mettez-le dans un gros chaudron. **02** Pour dessaler le jambon, couvrez d'eau jusqu'à le submerger. Faites bouillir à feu moyen pendant une heure puis jetez l'eau. **03** Couvrez le gros jambon d'eau fraîche (et d'amour!), en ajoutant cette fois-ci la mélasse, tous les assaisonnements et la bière. **04** Laissez mijoter 2 heures et demie à feu doux. **05** Servez.

VERSION DE LUXE
UNE FOIS LE JAMBON CUIT, PLACEZ-LE, COUENNE AU FOND, DANS UN CONTENANT ALLANT AU FOUR. NAPPEZ LE JAMBON D'UN MÉLANGE DE 125 ML DE CASSONADE, 2,5 ML DE MUSCADE, 15 ML DE MOUTARDE DE DIJON ET 15 ML DE JUS D'ANANAS. RECOUVREZ DE RONDELLES D'ANANAS POUR VOUS LA JOUER « SOIRÉES D'ANTAN », ET DÉCOREZ DE CERISES MARASQUIN SI VOUS VOULEZ VIVRE L'EXPÉRIENCE TOTALE. VERSEZ UN AUTRE 125 ML DE JUS DANS LE FOND DU PLAT ET ENFOURNEZ 20 MINUTES À 400 °F.

....

Rassurez-vous, vous n'aurez pas à manger du jambon toute la semaine puisque la bête se congèle aisément. Congelez-le en petites portions que vous adorerez sortir pour ajouter à vos omelettes, quiches, soupes, riz frits (p. 153) et crêpes (p. 156) à la béchamel. Pour le déguster en sandwich, passez-le préalablement à la poêle pour ôter le goût de congélateur peu convaincant ou passez-le au robot avec des céleris, de la moutarde et de la mayo pour en faire une salade de jambon.

Pour ׀ Les 4 années à venir
Temps ׀ 30 minutes de préparation
+ 3 à 4 heures de cuisson

L'odeur de ce classique vous replongera en enfance. Profitez des 4 heures de cuisson pour vous vautrer dans la nostalgie.

SAUCE À SPAG

- 1,35 kg (3 livres) de bœuf haché, porc et veau haché (selon les rabais)
- 30 ml (2 c. à soupe) d'huile
- 4 oignons hachés
- 4 à 5 gousses d'ail hachées
- 5 branches de céleri hachées finement
- 2 à 3 carottes hachées finement
- 2,5 ml (½ c. à thé) de chacune de ces épices : thym, marjolaine, origan, basilic, paprika, sel, poivre
- 5 ml (1 c. à thé) de piments rouges broyés
- 1 grosse conserve de 1,36 litre de jus de tomate
- 2 conserves de 284 ml de soupe de tomate
- 1 conserve de 369 ml de pâte de tomate
- 1 conserve de 796 ml de tomates concassées
- 15 ml (1 c. à soupe) de sucre
- 30 ml (2 c. à soupe) de sauce Worchestershire
- 2 à 3 feuilles de laurier
- **Quelques gouttes** de Tabasco

01 Allumez le four à 325 °F. **02** Dans une grande casserole allant au four, faites brunir les viandes dans l'huile à feu moyen-élevé en fredonnant un air du sud de l'Italie. **03** Ajoutez les légumes et les épices (sauf les feuilles de laurier) et faites revenir quelques instants. **04** Ajoutez les tomates, le sucre, la sauce au nom imprononçable, les feuilles de laurier, le Tabasco, mélangez bien et enfournez de 3 à 4 heures. **05** Devant la quantité astronomique de sauce à spag, vous pourrez aisément imaginer les familles québécoises

OU CELUI QUE VOUS AVEZ DANS LA TÊTE DEPUIS TROIS JOURS.

d'antan… et constater par le fait même que les temps ont changé ! Pour être de votre temps, congelez une partie de ladite sauce : ça se conserve diablement bien au congélateur.

POUR VARIER

Pour changer des pâtes, optez pour une courge spaghetti. Profitez de la dernière heure de cuisson de la sauce à spag, pour cuire la courge. Pour ce faire, piquez sauvagement la courge spaghetti avec une fourchette avant de la mettre au four sur un papier d'aluminium. Une fois cuite, laissez la courge refroidir un peu avant de la couper en deux. Enlevez les noyaux et détachez la chair de la courge en longs filaments, comme des pâtes.

Pour | 4 personnes
Temps | 20 minutes de préparation
+ 1 heure de cuisson

RAGOÛT DE POULET

- 3 gousses d'ail hachées grossièrement
- **1 morceau de 5 cm** de gingembre frais pelé et coupé en gros morceaux
- **5 ml (1 c. à thé)** de coriandre moulue
- **5 ml (1 c. à thé)** de gingembre moulu
- **1 pincée** de piment de Cayenne
- **30 ml (2 c. à soupe)** d'huile
- 4 cuisses de poulet sans la peau
- **2 litres (8 tasses)** de légumes qui ont connu des jours meilleurs (oignon, céleri, chou, carotte, navet, pomme de terre), en gros morceaux
- **30 ml (2 c. à soupe)** de farine
- Sel et poivre au goût
- 1 anis étoilé
- **15 ml (1 c. à soupe)** de sauce soya
- **15 ml (1 c. à soupe)** de miel
- **500 ml à 1 litre (2 à 4 tasses)** de bouillon de poulet

01 Dans une grande casserole, faites revenir l'ail, le gingembre et les épices, sauf l'anis étoilé, dans 15 ml d'huile pendant 1 minute à feu moyen-élevé. **02** Faites dorer les cuisses de poulet 1 minute de chaque côté, puis retirez de la casserole. **03** Ajoutez l'autre cuillérée d'huile d'olive, faites-y revenir les légumes environ 3 minutes en remuant de temps en temps. **04** Ajoutez la farine aux légumes et poursuivez la cuisson un peu moins d'une minute. **05** Déposez le poulet sur les légumes, ajoutez le sel et le poivre, l'anis et les ingrédients liquides, de façon à ce que la moitié du poulet soit recouvert. **06** Portez à ébullition, baissez le rond à feu moyen-doux, puis laissez mijoter à couvert pendant 1 heure, ou jusqu'à ce que le poulet soit cuit. **07** Servez sur un riz ou un couscous cuit avec le bouillon du ragoût.

POUR VARIER

VERSION BOLLYWOOD
Remplacez les épices par de la cardamome moulue, des graines d'anis et de la poudre de chili (2,5 ml chacun), du curcuma et du cumin (5 ml chacun). Substituez 125 ml de bouillon de poulet par la même quantité de lait de coco sans sucre ajouté.

Pour ı 8 personnes
Temps ı 10 minutes de préparation
+ 25 minutes de cuisson

CROUSTADE AUX POMMES

Une digne récompense après un après-midi aux pommes avec votre belle-soeur, sa marmaille et son p'tit chien qui vous aime un peu trop.

Garniture

- 8 pommes
- Le jus d'**un ½ citron**
- 80 ml (**⅓ tasse**) de cassonade
- 2,5 ml (**½ c. à thé**) de cannelle

Croûte

- 180 ml (**¾ tasse**) de farine tout usage
- 310 ml (1 **¼ tasse**) de gruau
- 125 ml (**½ tasse**) de cassonade
- 125 ml (**½ tasse**) de beurre
  à la température de la pièce
- **Quelques pincées** de cannelle

01 Allumez le four à 375 °F. **02** Pelez les pommes et coupez-les en fines tranches. Il s'agit de l'étape laborieuse de cette recette : si vous êtes un piètre « peleur » de pommes, multipliez le temps de préparation par 3. **03** Déposez les pommes dans un plat allant au four et mélangez-y le jus de citron, 80 ml de cassonade ainsi que 2,5 ml de cannelle. Réservez. **04** Dans un grand bol, mélangez la farine, le gruau, le reste de la cassonade et le beurre avec les mains. Vous obtiendrez ainsi une préparation d'une consistance un peu sableuse. **05** Étendez sur les pommes en une couche régulière dans la mesure du possible. **06** Saupoudrez de la cannelle. **07** Mettez au four 30 minutes. Pendant ce temps, appréciez les odeurs (ce n'est pas pour rien qu'on retrouve le parfum pomme et cannelle sous forme de pouch pouch en canne. Mais entre nous, l'odeur originale est nettement plus convaincante).

VERSION DE LUXE
POUR UNE CROUSTADE UN PEU MOINS TRADITIONNELLE, VOUS POUVEZ REMPLACER 2-3 POMMES PAR 250 ML (OU UN PEU PLUS) DE FRAMBOISES FRAÎCHES OU CONGELÉES. OU ENCORE, REMPLACEZ LES POMMES PAR DES POIRES ET AJOUTEZ 125 ML DE PÉPITES DE CHOCOLAT. DANS LES DEUX CAS, OUBLIEZ LA CANNELLE.

PAR PORTION
$2.15

Pour ı 6 personnes
Temps ı 15 minutes de préparation
+ 45 à 55 minutes de cuisson

- 10 ml (2 c. à thé)
  de gingembre moulu
- 10 ml (2 c. à thé) de thym séché
- 2,5 ml (½ c. à thé) de cannelle
- 1,25 ml (¼ c. à thé) de sel
- 1,25 ml (¼ c. à thé) de poivre
- 1 longe de porc d'environ 1 kg
- 30 ml (2 c. à soupe) d'huile
- 3 à 5 pommes un peu fatiguées,
  pelées et coupées en gros quartiers
- 2 gros oignons coupés en rondelles
- 45 ml (3 c. à soupe)
  de vinaigre de vin (ou, encore
  mieux, de vinaigre de cidre)
- 45 ml (3 c. à soupe) de miel
- 125 à 200 ml de jus de pomme,
  d'eau ou de bouillon

RÔTI DE PORC AUX POMMES

01 Allumez le four à 325 °F. **02** Mélangez les épices et enrobez-en la pièce de viande. **03** Dans une cocotte ou tout autre plat allant au four, chauffez l'huile à feu moyen-élevé et faites dorer le rôti sur toutes ses faces. **04** Mettez ensuite les pommes et les oignons autour de la bête, et versez sur elle le vinaigre et le miel. **05** S'il vous reste un peu du mélange d'épices, saupoudrez sur le rôti. **06** Versez finalement le liquide pour recouvrir le fond du plat. **07** Envoyez au four de 45 à 55 minutes. Attention de ne pas trop cuire : le rôti doit être rosé. **08** Servez-le avec des patates pilées arrosées du jus de cuisson et d'un légume vert.

Avec le restant du rôti, coupez de fines tranches pour en faire des sandwichs. Pour un plat complètement différent, tranchez le porc en lanières et ajoutez-le à vos sautés de légumes (remplacez simplement le tofu par le porc en page 84).

Pour | 4 personnes et un excellent lunch
Temps | 20 minutes de préparation
+ 3 heures de cuisson

BŒUF MIJOTÉ

Concoctez votre souper et chauffez l'appart en même temps : un deux en un exceptionnel!

- 45 ml (3 c. à soupe) de fines herbes
- 5 ml (1 c. à thé) de coriandre moulue
- 5 ml (1 c. à thé) de paprika
- 2,5 ml (½ c. à thé) de graines d'anis
- 1 **bonne pincée** de cannelle
- 1 **bonne pincée** de piment de Cayenne
- 1,25 ml (¼ c. à thé) de sel
- 1,25 ml (¼ c. à thé) de poivre
- 600 g à 1 kg d'épaule ou de palette de bœuf coupée en 4 ou 5 gros morceaux
- 45 ml (3 c. à soupe) d'huile d'olive
- Légumes de votre choix coupés grossièrement (½ navet, 2 oignons, 3 branches de céleri, 4 carottes, 5 petites patates)
- 4 gousses d'ail coupées en 2
- 500 ml (2 tasses) environ de bouillon de bœuf
- 3 verres de vin rouge (et un 4ᵉ pour vous !)

01 Allumez le four à 350 °F. **02** Dans un petit bol, mélangez les épices. **03** Enrobez la viande d'huile d'olive en la massant et recouvrez-la ensuite de la préparation d'épices. **04** Dans une grande casserole allant au four, faites chauffer 30 ml d'huile d'olive. Lorsque l'huile est chaude,* faites saisir la viande environ 1 minute et demie de chaque côté. **05** Lorsque la viande est bien brune à l'extérieur, retirez-la de la casserole. Salez, poivrez et réservez. **06** Dans la même casserole, ajoutez ce qui reste du mélange d'épices ainsi qu'un peu d'huile d'olive et faites revenir les légumes et l'ail deux minutes. **07** Déposez la viande sur le tas de légumes et ajoutez le bouillon et le vin jusqu'à la moitié de la viande. *N'OUBLIEZ PAS DE REMUER DE TEMPS EN TEMPS.* **08** Enfournez et laissez mijoter environ 3 heures, ou jusqu'à ce que la viande se détache à la fourchette et que l'odeur fasse oublier à vos voisins le party improvisé de mardi dernier...

* ELLE FERA PCHHH AU CONTACT DE QUELQUES GOUTTES D'EAU

ARME DE SÉDUCTION MASSIVE

AVEC CES QUELQUES RECETTES, VOUS SEREZ AUSSI DÉSARMÉS PAR LA SIMPLICITÉ QU'ARMÉS POUR SÉDUIRE! DES BEAUX-PARENTS TOUT FRAIS À CHARMER, UNE FLAMME À TRANSFORMER EN FEU DE JOIE, UNE VOISINE DE PALIER GRINCHEUSE À QUI VOUS AVEZ UN SERVICE À DEMANDER OU SIMPLEMENT UNE SOLIDE AMITIÉ À SOULIGNER, NE SOUS-ESTIMEZ PAS L'ATTRAIT PRIMAIRE ET PUISSANT QU'EXERCE LA PANSE

■

PAR PORTION
$2.86

Pour | 2 personnes
Temps | 20 minutes

Servez avec l'air exténué de celui qui en a trop fait et vous aurez du succès dans votre entreprise (comme dit le biscuit chinois).

SALADE DE CHÈVRE CHAUD

- Vinaigrette de base (p. 86)
- Laitue de votre choix
- ½ baguette de pain
- 1 gousse d'ail
- **150 g** de fromage de chèvre de type tartinade

- 6 tomates séchées dans l'huile, hachées
- **1** oignon vert haché
- **2,5 ml** (½ c. à thé) de vinaigre balsamique
- Poivre

01 Allumez le four à 350 °F. **02** Préparez la vinaigrette, si ce n'est déjà fait. Lavez et essorez la laitue. Mettez de côté. **03** Coupez la baguette en tranches minces. Frottez-les d'une gousse d'ail coupée en deux. **04** Dans un bol, mélangez le fromage, les tomates séchées, l'oignon vert et le vinaigre. Tartinez le mélange sur les croûtons de pain. Placez-les sur une plaque à biscuits et mettez au four environ 7 minutes. **05** Pendant ce temps, arrosez avec parcimonie la laitue de vinaigrette, brassez pour bien enrober les feuilles et disposez dans 2 assiettes. **06** Augmentez la température du four à «broil» et continuez la cuisson jusqu'à ce que le dessus du croûton soit légèrement doré. Retirez les croûtons du four et déposez aussi artistiquement que possible sur la laitue. Saupoudrez de poivre et servez.

VERSION DE LUXE
COMME IL EST PLUS DISPENDIEUX ET PLUS RAFFINÉ, ATTENDEZ LE RABAIS DU MOIS OU LE RETOUR DE TPS POUR UTILISER LE PAILLOT DE CHÈVRE. VOUS POUVEZ LE SERVIR AINSI: DÉPOSEZ UNE RONDELLE DE FROMAGE DE CHÈVRE SUR LE CROÛTON, SAUPOUDREZ DE GRAINES DE SÉSAME PRÉALABLEMENT GRILLÉES (1 MINUTE DANS UNE POÊLE SANS CORPS GRAS) ET ARROSEZ D'UN PEU DE MIEL. PROCÉDEZ ENSUITE COMME POUR LA VERSION CI-DESSUS. LA VIE VOUS SOURIRA (COMME LE DIT UN AUTRE BISCUIT CHINOIS).

PAR PORTION
$4.10

Pour ı Un tête-à-tête romantique et un lunch
Temps ı 20 minutes

CARI DE PORC

- 2 gousses d'ail
- **Un morceau de 3 cm** de gingembre frais pelé et coupé grossièrement
- **7,5 ml (½ c. à soupe)** de coriandre moulue
- **7,5 ml (½ c. à soupe)** de cumin moulu
- **7,5 ml (½ c. à soupe)** de cassonade
- **5 ml (1 c. à thé)** de curcuma
- **2,5 ml (½ c. à thé)** de graines de cumin
- **1,25 ml (¼ c. à thé)** de piment de Cayenne (la moitié si vous craignez le piquant)
- Le zeste d'**une** lime
- **250 ml (1 tasse)** de lait de coco léger
- **1,25 ml (¼ c. à thé)** de sel et de poivre
- **350 g** environ de filet de porc coupé en morceaux
- **15 ml (1 c. à soupe)** d'huile
- 1 poivron rouge coupé en morceaux
- Coriandre fraîche (facultatif)

QUAND ON ÉCRIT « RÉSERVEZ », ON NE PARLE PAS D'UNE TABLE AU RESTO !

01 Mettez l'ail, le gingembre, les épices, le zeste et le lait de coco dans le bol du robot culinaire. Mélangez pour obtenir une sauce lisse. Réservez **02** Salez et poivrez les morceaux de porc. Dans une poêle, chauffez l'huile et faites-les brunir à feu moyen-élevé quelques secondes de chaque côté. Ajoutez ensuite la sauce. **03** Faites mijoter à feu moyen en remuant de temps à autre. Après 5 minutes de cuisson, ajoutez les poivrons et cuisez encore de

5 à 7 minutes. La viande doit être cuite et les poivrons encore un peu croustillants sous la dent. Si vous désirez une sauce plus onctueuse, retirez le porc et laissez réduire la sauce environ 2 minutes à feu moyen-élevé. **04** Servez le cari sur un riz basmati et décorez de coriandre.

CE N'EST PAS FAIT ? VITE, LE TÉLÉPHONE !

POUR VARIER

Vous vous êtes sans doute renseigné auprès de l'élu de votre cœur quant à ses préférences alimentaires. Si cette personne est végétarienne, il y a peu de chance qu'elle se réjouisse devant votre cari, aussi affriolant soit-il. Si c'est le cas, remplacez simplement la viande par une demi-conserve de pois chiches.

REC YCL AGE

Il reste un peu de lait de coco et vous ne savez pas quoi en faire ? Passez-le au mélangeur avec de l'ananas ou de la mangue, un peu de sucre et un œuf et réfrigérez dans de petits contenants. Vous aurez ainsi un joli dessert au lait de coco.

Pour ı Au moins 8 personnes
Temps ı 25 minutes de préparation
+ au moins 3 heures de réfrigération

- 250 ml (1 tasse) de thé noir
  de bonne qualité
- 1,25 ml (¼ c. à thé)
  de cardamome écrasée (facultatif)
- Le jus d'**un ½ citron**
- 4 œufs (4 blancs + 1 jaune)
- 80 ml (⅓ tasse) de sucre
- **Un pot de 500 g (2 tasses)**
  de yogourt gras au citron,
  style Méditerrannéen
- Le zeste d'**un** citron
- Environ **24** biscuits à tiramisu
  (biscuits de Savoie)

Par temps de canicule ou lorsque le four a rendu l'âme, voici un dessert qui ne nécessite aucune cuisson. Que de l'amour.

TIRAMISU AU CITRON

01 Infusez 250 ml de thé avec la cardamome. Ajoutez-y le jus d'un demi-citron et réservez au frais. **02** Dans un bol en métal, montez les blancs d'œufs et 15 ml de sucre en neige à l'aide d'un batteur électrique, environ 3 minutes à force maximale, jusqu'à obtenir des pics fermes. Réservez. **03** Dans un autre bol, fouettez le jaune d'œuf et le reste du sucre avec le batteur, encore à force maximale, de 3 à 4 minutes, jusqu'à obtenir une texture mousseuse. **04** Ajoutez-y le yogourt, le zeste d'un citron et mélangez bien. **05** À cette préparation, incorporez délicatement les œufs en neige. Mettez de côté. **06** Choisissez un plat rectangulaire ou rond à hauts rebords et tapissez-le de pellicule plastique. **07** Étendez-y le tiers des biscuits. Arrosez les biscuits du tiers du thé et étendez la moitié du mélange à base de yogourt. Répétez les opérations : une autre couche de biscuits, un tiers de thé, l'autre moitié du yogourt. Terminez en imbibant le dernier tiers des biscuits du restant de liquide. **08** Posez une assiette sur le tiramisu ainsi qu'un poids pour faire pression sur le gâteau. **09** Mettez au frigo au moins 3 heures.* **10** Au moment de servir, démoulez en retournant le gâteau dans une assiette de présentation. Grâce à la pellicule plastique, ce sera un charme. Recouvrez de zeste et de rondelles de citrons.

Handwritten annotations:

ENVIRON 3 MINUTES, À FORCE MAXIMALE

UN POT DE CONFITURE, PAR EXEMPLE

* OU TOUTE UNE NUIT SI VOUS AVEZ EU LE GÉNIE DE VOUS Y PRENDRE À L'AVANCE

Pour ⏐ 6 portions
Temps ⏐ 40 minutes de préparation
+ 30 minutes de cuisson

TOURTE AU POISSON

Pâte

- 60 ml (¼ tasse) de beurre
  à température de la pièce
- 250 ml (1 tasse) de farine
- 1,25 ml (¼ c. à thé) de sel
- 60 ml (¼ tasse) d'eau froide

Garniture

- 1 casseau
  de champignons émincés
- 2 oignons hachés
- 4 branches de céleri hachées
- 3 gousses d'ail hachées
- 7,5 ml (½ c. à soupe)
  de thym séché
- 7,5 ml (½ c. à soupe)
  d'estragon séché
- 15 ml (1 c. à soupe) d'huile
- 125 ml (½ tasse) de vin blanc
- 700 g d'un mélange
  de poissons et de fruits de mer
  coupés en morceaux

*SELON LES RABAIS :
FILET FRAIS OU CONGELÉ,
CREVETTES, PALOURDES
EN BOÎTE, GOBERGE*

Béchamel

- 60 ml (¼ tasse) de beurre
- 60 ml (¼ tasse) de farine
- 750 ml (3 tasses) de lait
- 1,25 ml (¼ c. à thé)
  de sel et de poivre

01 Dans un grand bol, mélangez le beurre, la farine et le sel avec les doigts. Ajoutez l'eau froide et façonnez en 1 boule. Ne tâtez pas trop la pâte. Réservez au frigo. **02** Dans une poêle à feu moyen-élevé, faites revenir les légumes et les herbes dans l'huile. Baissez le feu, ajoutez le vin et laissez frémir environ 8 minutes. Réservez. **03** Si vous utilisez des poissons crus, faites-les revenir 2 à 3 minutes. Égouttez au besoin. **04** Dans une casserole, faites fondre le beurre de la béchamel à feu moyen, ajoutez la farine pour obtenir une pâte. Laissez frémir puis ajoutez le lait et brassez jusqu'à épaississement. Salez et poivrez. Mélangez les poissons et les légumes à la béchamel et poursuivez la cuisson encore 2 minutes. Versez le tout dans un plat à lasagne. **05** Allumez le four à 425 °F. **06** Sortez la pâte du frigo, saupoudrez le comptoir (propre !) de farine et étendez à l'aide d'un rouleau à pâte pour obtenir une pâte mince. **07** Recouvrez le plat à lasagne. Entaillez la forme de votre choix* dans le centre de la pâte et badigeonnez d'un peu de lait. Baissez le four à 350 °F et enfournez 35 minutes.

*OU TOUT OBJET
CYLINDRIQUE,
UNE
BOUTEILLE DE VIN,
PAR
EXEMPLE*

** UN POISSON, UNE BREBIS, LE DAVID
DE MICHEL-ANGE...*

Pour ı 2 personnes et un chaperon
Temps ı 20 minutes de préparation
+ 6 heures de macération

- 180 ml (¾ tasse) d'huile végétale
- 30 ml (2 c. à soupe) de vinaigre balsamique ou de vin rouge
- 60 ml (¼ tasse) de sauce soya
- 45 ml (3 c. à soupe) de miel
- 1 gousse d'ail hachée
- 1 oignon vert haché
- 1 morceau de 2 cm de gingembre frais pelé et haché
- 450 g de poulet (poitrine ou escalope)

POULET MARINÉ AU GINGEMBRE

01 Mélangez tous les ingrédients et laissez mariner le poulet au frigo au moins 6 heures. **02** Si vous avez des poitrines entières, le four est la meilleure option : elles resteront ainsi plus juteuses. Placez les poitrines dans un plat à cuisson et enfournez de 20 à 30 minutes à 400 °F. Le temps de cuisson dépend de l'épaisseur de la poitrine. Une entaille en son centre vous permettra de vérifier si le poulet a bien perdu sa couleur rosée. Si vous avez des escalopes, une autre méthode s'impose. Dans une poêle à feu élevé, saisissez le poulet 1 minute de chaque côté, puis baissez le feu à intensité moyenne et laissez cuire 3 à 4 minutes de chaque côté. **03** Servez avec une salade et du riz.

POUR VARIER

Si vous cherchez à séduire deux fois la même personne (votre dernier rendez-vous allait bien, jusqu'à l'arrivée de votre coloc…), remplacez le poulet par une bavette ou un onglet de bœuf. C'est excellent sur le barbecue, mais vous pouvez aussi faire cuire à la poêle.

Malgré tous vos efforts de récupération, la marinade ayant déjà servi pour le poulet ne peut pas être réutilisée… Les poitrines se congèlent toutefois à merveille dans la marinade. Soyez positif : préparez votre séduction à l'avance ! Une fois le poulet mariné au frigo, placez au congélateur une portion de poulet par sac Ziploc avec 80 ml de marinade. Une fois que vous aurez quelqu'un dans la mire, décongelez et séduisez en toute confiance.

PAR PORTION
$2.25

GOULACHE

OU PLUS SI VOUS AVEZ ÉTÉ HONGROIS DANS UNE VIE ANTÉRIEURE

- 30 ml (2 c. à soupe) d'huile
- 1,5 kg de palette ou d'épaule de bœuf coupée en cubes
- 5 oignons coupés grossièrement
- 75 ml (5 c. à soupe) de paprika
- 5 gousses d'ail hachés
- 45 ml (3 c. à soupe) de farine

- 1 litre (4 tasses) de bouillon de bœuf
- 10 ml (2 c. à thé) de basilic séché
- 10 ml (2 c. à thé) de thym séché
- Sel et poivre au goût
- 2 feuilles de laurier
- Crème sûre

01 Allumez le four à 325 °F. **02** Dans environ 15 ml d'huile, faites sauter les cubes de bœuf à feu moyen dans une cocotte pour qu'ils soient saisis de chaque côté. Pour faciliter le travail, ne mettez qu'une petite quantité de cubes à la fois. Retirez et gardez hors de la portée du chien. **03** Versez 15 ml d'huile et faites sauter les oignons environ 2 minutes, ajoutez le paprika et l'ail, et brassez 1 minute.

04 Ajoutez ensuite le bœuf et la farine. Faites cuire 2 autres minutes à feu doux. **05** Ajoutez le bouillon et les épices, puis oubliez dans le four 3 bonnes heures (ou un peu avant que les pompiers débarquent). **06** Servez avec des brocolis ou un autre légume vert, des pâtes aux œufs et surtout, de la crème sûre en abondance. Avant de déguster, hurlez comme un perdu, au risque d'ameuter les voisins : « Vive la Hongrie libre ! »

Si le reste de la crème sûre poireaute dans le frigo, ajoutez-la à vos soupes ou faites-en une trempette lors de votre prochain party (à condition qu'il ait lieu dans l'année).

Pour ı 4 personnes et des restes
Temps ı 20 minutes de préparation
+ 1 heure de cuisson

PAR PORTION
$2.12

Pourquoi aspirer au titre de roi de la patate quand on peut devenir le sultan du couscous ?

COUSCOUS PRESQUE ROYAL

- 30 ml (2 c. à soupe) d'huile d'olive
- 4 gousses d'ail hachées finement
- 2 oignons en quartiers
- 4 hauts de cuisse de poulet
- 6 à 8 merguez
- 30 ml (2 c. à soupe) de cumin
- 30 ml (2 c. à soupe) d'épices à couscous (p. 12)
- 5 ml (1 c. à thé) de sel

- 4 carottes, ½ navet, ½ chou vert coupés grossièrement
- 1 conserve de **796 ml** de tomates concassées
- Bouillon de poulet ou de légumes
- 3 courgettes coupées sur la longueur
- 1 pelletée de raisins secs
- 1 conserve de **540 ml** de pois chiche égouttée
- Semoule de blé dur à couscous

01 Dans une grande casserole, faites revenir à feu moyen-élevé l'ail et l'oignon dans l'huile d'olive. **02** Ajoutez les viandes ainsi que les épices et faites dorer de tous les côtés. Quand tout est bien grillé et qu'un bon fumet se répand dans toute la maison, retirez la viande de la casserole. **03** Mettez-y tous les légumes (sauf les courgettes), les tomates, ajoutez quelques tasses de bouillon pour recouvrir les légumes. **04** Remettez les viandes sur les légumes ; elles ne devraient pas être couvertes d'eau. Portez à ébullition puis couvrez la casserole et laissez mijoter à feu moyen-doux environ 45 minutes. **05** Ajoutez les courgettes, les raisins secs et les pois chiches et faites cuire encore 20 minutes. Goûtez au jus pour voir s'il est bien épicé et rectifiez l'assaisonnement au besoin. Servez sur de la semoule et accompagnez de sauce harissa.

Votre couscous est délicieux, mais après trois repas, il n'a soudainement plus le même « sex-appeal » ? Frottez la lanterne magique et une soupe marocaine apparaîtra : prenez les légumes et le bouillon restants et passez au mélangeur jusqu'à consistance homogène. Remerciez le génie de la lampe.

Pour ı 8 amis très chanceux
Temps ı 25 minutes
+ 15 minutes dans le frigo
+ 30 minutes de cuisson

Croûte

- 80 ml (⅓ tasse) de sucre
- 125 ml (½ tasse) de beurre mou
- 1 œuf
- 330 ml (1 ⅓ tasse) de farine tout usage
- 5 ml (1 c. à thé) de poudre à pâte

Garniture

- 125 ml (½ tasse) de beurre mou
- 125 ml (½ tasse) de sucre
- 250 ml (1 tasse) d'amandes blanches moulues
- 5 ml (1 c. à thé) d'essence d'amandes *C'EST CE QUI FAIT MONTER LA FACTURE*
- 2 œufs
- 125 ml (½ tasse) de confiture d'abricots
- Le jus d'un citron

GÂTEAU À LA PÂTE D'AMANDES

NE VOUS EN FAITES PAS POUR LES GRUMEAUX

01 Allumez le four à 350 °F. **02** Dans un bol, mélangez le sucre et le beurre de la croûte à la fourchette jusqu'à consistance homogène. **03** Ajoutez ensuite l'œuf et mélangez avec vigueur. **04** Ajoutez finalement la farine et la poudre à pâte et brassez pour obtenir une pâte lisse. **05** Déposez dans un moule à gâteau beurré en pressant avec les doigts pour bien étendre la croûte. Faites déborder la croûte d'un ½ pouce du rebord. **06** Mettez au frigo 15 minutes. **07** Mélangez le beurre et le sucre de la garniture, puis ajoutez les amandes, les œufs. Mélangez bien et déposez dans la croûte refroidie. **08** Enfournez environ 30 minutes. **09** Une fois le gâteau refroidi, couvrez-le d'une fine couche de confiture d'abricots, diluée dans le jus de citron. Si vous ne recevez pas de compliments sur vos talents de chef après ce dessert, sortez ces amis ingrats de votre appart; ils ne vous méritent pas !

ET RÉSISTEZ À L'ENVIE DE LA FINIR À LA CUILLÈRE !

**VERSION DE LUXE
VOUS POUVEZ AUSSI JOUER LE GRAND JEU ET FAIRE COULER SUR LA SURFACE DU CHOCOLAT NOIR FONDU, COMME SI VOUS ÉTIEZ JACKSON POLLOCK DEVANT UNE TOILE VIERGE.**

rapido
presto

Pour ı 2 personnes + 2 sandwichs
Temps ı 15 minutes

- 30 ml (**2 c. à soupe**) de farine
- 1 œuf
- 60 ml (**¼ tasse**) de chapelure
- 30 ml (**2 c. à soupe**) de parmesan
- 1,25 ml (**¼ c. à thé**) de sel
- 1,25 ml (**¼ c. à thé**) de poivre
- 1,25 ml (**¼ c. à thé**) d'origan
- 500 g de poulet en escalopes ou **2 bonnes poitrines** (l'équivalent du 36 D chez le volatile)
- 15 ml (**1 c. à soupe**) d'huile d'olive
- 15 ml (**1 c. à soupe**) de beurre
- 1 citron coupé en quartiers

Une façon de bien se nourrir tout en évacuant le stress de la journée !

ESCALOPES DE POULET CROUSTILLANTES

AU DIABLE LA DÉPENSE DE VAISSELLE !

01 Sortez trois assiettes creuses. Dans la première, mettez la farine. Dans la seconde, battez l'œuf. Dans la troisième, mélangez la chapelure, le parmesan et les assaisonnements. **02** Si vous avez opté pour la poitrine de poulet, coupez-la sur l'épaisseur à l'aide d'un bon couteau. L'idée est d'amincir la poitrine en de fines escalopes. **03** Disposez les morceaux de poulet sous une pellicule plastique et frappez-les comme s'ils étaient vos pires ennemis. Si vos colocs vous guettent d'un air apeuré, rassurez-les en leur expliquant que c'est écrit dans la recette. **04** Une fois le poulet aplati en escalopes, faites chauffer à feu moyen-élevé la moitié de l'huile et du beurre dans la poêle, puisqu'elle n'est sûrement pas assez grande pour contenir toutes les escalopes. **05** Une à une, faites subir ce traitement à vos escalopes : enfarinez-les en secouant bien pour enlever l'excédent, trempez dans l'œuf battu et ensuite dans la chapelure. Une fois les escalopes recouvertes, envoyez-les dans la poêle chaude. **06** Faites cuire deux minutes de chaque côté. Quand la première « batch » d'escalopes sera cuite, ajoutez l'autre moitié de corps gras et recommencez l'opération. **07** Servez en arrosant d'un soupçon de citron.

SELON L'ÉPAISSEUR DE VOTRE ESCALOPE ET/OU L'INTENSITÉ DE VOTRE SÉANCE DE DÉFOULEMENT.

POUR VARIER

Vous pouvez procéder exactement de la même façon en remplaçant le poulet par des escalopes de veau. Nappez de sauce tomate et vous vous croirez à Milan.

Pour | 2 pêcheurs de salon
Temps | 15 minutes

- **300 g** de filets de poisson blanc à chair ferme d'une bonne épaisseur (pangasius, turbot, flétan, tilapia)
- Sel et poivre
- **5 ml** (1 c. à thé) de basilic séché
- **5 ml** (1 c. à thé) d'estragon séché
- **30 ml** (2 c. à soupe) de farine
- **10 ml** (2 c. à thé) d'huile d'olive
- **5 ml** (1 c. à thé) de beurre
- **1** citron (facultatif)
- câpres au goût (facultatif)

POISSON BLANC POÊLÉ

Pourquoi rechercher l'ambiance d'une partie de pêche quand vous pouvez vous délecter dans le confort de votre foyer ?

01 Saupoudrez les filets de poisson de sel de chaque côté, attendez 5 minutes. Pendant ce temps, retrouvez, avec un rien d'imagination, le chant du ouaouaron dans le ronron du frigo, l'odeur du marécage dans celle de la poubelle trop pleine, l'innocence du végétal dans votre plante araignée – à arroser d'ailleurs... **02** À l'aide d'un papier essuie-tout, épongez l'eau sur les filets. Déposez-les dans des assiettes sèches. Poivrez et réservez. **03** Dans une assiette, incorporez le basilic et l'estragon à la farine.

Mélangez et réservez. **04** Dans une poêle à feu élevé, faites fondre le beurre avec l'huile, enfarinez les filets, secouez-les pour enlever le surplus de farine. **05** Envoyez dans la poêle, baissez le feu à moyen-élevé et laissez brunir 3 minutes d'un côté, 2 minutes de l'autre. **06** Déguster avec des quartiers de citron, quelques câpres et aucun moustique.

VERSION DE LUXE
OFFREZ-VOUS L'EXTRAVAGANCE D'UNE SAUCE VIERGE !
COUPEZ UNE TOMATE FRAÎCHE EN DÉS, HACHEZ
10 CÂPRES, 5 OLIVES NOIRES, METTEZ LE TOUT DANS
UN BOL ET MÉLANGEZ AVEC 15 ML D'HUILE D'OLIVE,
DU SEL ET DU POIVRE. SERVEZ À CÔTÉ DU POISSON.

Pour ı 3 à 4 personnes
Temps ı 20 minutes de préparation
(en incluant la cuisson des nouilles)

SAUTÉ
DE LÉGUMES

- **45 ml (3 c. à soupe)** de sauce soya
- **5 ml (1 c. à thé)** d'huile de sésame
- **15 ml (1 c. à soupe)** de miel
- **10 ml (2 c. à thé)** de fines herbes
- **30 ml (2 c. à soupe)** d'huile
- **450 g** de tofu coupé en cubes
  (ou poulet en lanières)

- Nouilles asiatiques
  (aux œufs, vermicelles, soba…)
- **1** oignon coupé en cubes
- **2** gousses d'ail hachées finement
- **15 ml (1 c. à soupe)**
  de gingembre frais râpé
- **1** poivron coupé en lanières
- **1** courgette coupée en rondelles

① EN PASSANT, C'EST UN BON TEMPS POUR CHAUFFER L'EAU DES PÂTES.

01 Dans un bol, mélangez la sauce soya, l'huile de sésame et le miel. Réservez.
02 Dans une poêle à feu moyen-élevé, faites chauffer 10 ml de fines herbes dans 15 ml d'huile d'olive. Une fois l'huile chaude, faites saisir le tofu 5 minutes (un peu plus pour le poulet) ou jusqu'à ce que le tofu soit doré comme s'il revenait du sud. Retirez du feu et transférez dans le bol avec le mélange de soya. **03** Dans la même poêle, toujours

② SI L'EAU BOUT, METTEZ-Y LES NOUILLES

à feu moyen-élevé, ajoutez 15 ml d'huile et faites revenir l'oignon, l'ail et le gingembre 2 minutes. Ajoutez le poivron, remuez 1 minute, puis la courgette et remuez 1 autre minute. **04** Reprenez le bol, videz son contenu dans la poêle, brassez 2 minutes, ajoutez les nouilles, brassez une dernière minute. Savourez ce 15 minutes de gloire du légume en plat de résistance (vos ardeurs carnivores pourront bien attendre!).

③ JETEZ UN DU COUP D'OEIL CÔTÉ DES NOUILLES ELLES DEVRAIENT ÊTRE PRÊTES...

 RECYCLAGE VG

Vos légumes sur le déclin méritent une fin plus digne que la poubelle. Voici donc l'ordre dans lequel leur donner leur coup de grâce dans ce sauté de légumes : **1** Céleris hachés finement, carottes râpées, chou émincé, poireaux : en même temps que l'oignon **2** Brocolis, choux-fleurs blanchis (légèrement bouillis) : avec le poivron **3** Champignons, oignons verts : un peu après les courgettes **4** Épinards : à la toute dernière minute.

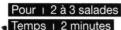
Pour ı 2 à 3 salades
Temps ı 2 minutes

- 125 ml (½ tasse) d'huile d'olive, de canola ou de tournesol
- 60 ml (¼ tasse) de vinaigre balsamique ou de jus de citron
- 15 ml (1 c. à soupe) de moutarde de Dijon
- 5 ml (1 c. à thé) de fines herbes
- 5 ml (1 c. à thé) de miel
- Sel et poivre au goût

Simple, sympathique, sans chichi. La « girl next door » des vinaigrettes.

VINAIGRETTE DE BASE

01 Mettez <u>tous les ingrédients</u> dans un bocal avec couvercle et secouez frénétiquement. **02** Servez sur de la laitue avec une multitude de légumes, dans une salade de couscous ou de pâtes.

POUR VARIER

Besoin urgent de changement ? Au lieu d'aller vous faire faire une permanente, essayez les options suivantes :
LA GREZTKY DES PAPILLES : Mélangez 60 ml de yogourt nature, 15 ml de jus d'orange, 5 ml de vinaigre, de jus de citron et de moutarde de Dijon. Salez et poivrez. Excellent en salade de pâtes avec du céleri, des oignons verts et une protéine au choix (thon, restes de poulet rôti ou de gros jambon).
LA SIMPLISSIMO (qui n'a d'italien que le titre) : Mélangez 45 ml d'huile d'olive, deux gouttes d'huile de sésame et 15 ml de vinaigre de riz. Saupoudrez un peu de poivre et de sel d'oignon. Servez sur une laitue qui fait *crounch* ! avec des carottes râpées, du chou et des blancs de poireaux hachés.

La vinaigrette de base se conserve jusqu'à un mois au frigo. Ne sous-estimez pas le pouvoir d'une bonne vinaigrette pour récupérer vos restes de table : viandes, pâtes, couscous, riz, napkins, etc.

PAR PORTION
$1.15

CRO-QUETTES DE SAUMON

Sauce

- 30 ml (2 c. à soupe) de yogourt nature
- 30 ml (2 c. à soupe) de mayonnaise
- Poivre au goût
- Le zeste d'**une** ½ lime (ou plus si vous en êtes fan)
- Le jus d'**une** ½ lime

Croquettes

- 1 œuf
- 2 oignons verts hachés
- 30 ml (2 c. à soupe) de farine
- 7,5 ml (½ c. à soupe) de moutarde de Dijon
- Quelques gouttes de sauce piquante   *À VOUS DE JUGER À QUEL POINT VOUS ÊTES EN FEU!*
- 2,5 ml (½ c. à thé) de basilic
- 2,5 ml (½ c. à thé) de coriandre en poudre
- 5 ml (1 c. à thé) d'aneth ou de coriandre fraîche (facultatif)
- 60 ml (¼ tasse) de chapelure
- 200 g de saumon en conserve   *VOUS POUVEZ AUSSI L'ESSAYER AVEC DU THON*
- 30 ml (2 c. à soupe) d'huile d'olive

01 Dans un petit bol, mélangez le yogourt, la mayonnaise, le poivre, le zeste et le jus de lime de la sauce. Réservez. **02** Dans un bol plus grand, mélangez l'œuf, les oignons verts, la farine, la moutarde, la sauce piquante, les épices, 30 ml de chapelure et brassez le tout avec vigueur. **03** Ajoutez le saumon, brassez de nouveau, avec molesse cette fois (gardez ainsi des morceaux de saumon entier et votre énergie intacte).

04 Versez le reste de la chapelure dans une assiette. **05** Façonnez quatre petites croquettes avec le mélange de saumon. Roulez-les dans la chapelure, de façon à ce qu'elles en soient entièrement recouvertes. **06** Dans une poêle à feu moyen-élevé, faites chauffer l'huile et cuisez les croquettes 2 minutes de chaque côté. **07** Servez les croquettes chaudes et croustillantes avec la sauce à la lime.

RECYCLAGE

La chapelure maison est une excellente façon de recycler vos vieilles croûtes (on ne parle pas de vos parents, mais bien de vos restants de pain, biscottes, etc.). Faites griller le pain et passez simplement au robot culinaire.

Pour I 2 à 4 personnes selon
l'épaisseur des côtelettes
(et non des convives!)
Temps I 15 minutes

- 60 ml (¼ tasse) de ketchup
  (la vraie affaire!)
- 20 ml (4 c. à thé) d'eau
- 10 ml (2 c. à thé) de cassonade
- 5 ml (1 c. à thé) de jus de citron
- 5 ml (1 c. à thé) de moutarde sèche
- 5 ml (1 c. à thé) de paprika
- 1 pincée de piment de Cayenne
  et 1 autre de cannelle
- 15 ml (1 c. à soupe) d'huile
- 1 oignon coupé en dés fins
- 4 côtelettes de porc
- Sel et poivre au goût
- 1 citron coupé en fines rondelles

CÔTELETTES AU KETCHUP

01 Allumez le four à « broil ». **02** Dans un petit bol, mélangez le ketchup, l'eau, la cassonade, le jus de citron, la moutarde sèche et les épices. Réservez. **03** Dans une poêle à feu moyen, faites revenir l'oignon dans la moitié de l'huile, environ 2 minutes. **04** Pendant ce temps, assaisonnez les côtelettes de sel et de poivre. **05** Versez la sauce au ketchup dans la poêle, laissez mijoter 1 autre minute et versez à nouveau la sauce dans le même bol (ou dans un autre si vous êtes du genre à aimer faire la vaisselle). **06** Dans la même poêle, à feu moyen-élevé, faites saisir les côtelettes dans le reste de l'huile, un peu moins d'une minute de chaque côté. **07** Nappez généreusement les deux côtés des côtelettes de la sauce et transférez dans un plat allant au four. Déposez une rondelle de citron sur chacune d'elle. **08** Enfournez de 4 à 7 minutes (tout dépendant de l'épaisseur de la côtelette), le temps que la sauce caramélise et que les côtelettes soient cuites. **09** Servez au grand jour en assumant votre amour pour le ketchup, cet ingrédient honni des gastronomes. Vous n'avez pas à en rougir; laissez cette couleur à vos côtelettes.

PAR PORTION
$1.13

Pour | 4 personnes
Temps | 10 minutes de préparation

- **300 g** de goberge
- **2** branches de céleri hachées
- **1** poivron (rouge ou vert) coupé en petits dés
- **1** oignon vert haché
- **160 ml (⅔ tasse)** de maïs en grains
- Le jus d'**un** citron
- **45 ml (3 c. à soupe)** de mayonnaise
- **10 ml (2 c. à thé)** de moutarde de Dijon
- **1,25 ml (¼ c. à thé)** de sauce piquante
- **Quelques gouttes** de sauce Worchestershire
- **5 ml (1 c. à thé)** d'origan
- **1,25 ml (¼ c. à thé)** de sel (ou plus selon le goût)

SANDWICH À LA GOBERGE

01 Effilochez la goberge dans un grand bol.
02 Ajoutez les légumes, le jus de citron, la mayo, la moutarde, les sauces et les épices. Mélangez bien et rectifiez l'assaisonnement au besoin. **03** Balancez le mélange de goberge dans un pain noir, un pain pita ou encore, dans un croissant. Et pourquoi arrêter là le plaisir ? Ajoutez des cornichons, des herbes fraîches (un faible pour la coriandre) et une montagne de luzerne ! À ce stade-ci, votre habituel sandwich au jambon vous semblera aussi séduisant qu'un pantalon de flanellette.

POUR VARIER

Vous pouvez remplacer la goberge par une conserve de thon, de saumon ou encore par des œufs cuits durs.

RECYCLAGE

Avant de vous lasser de ce délirant sandwich, recyclez le mélange de goberge en une salade de pâtes en ajoutant une cuillérée de yogourt nature. Osez le mélange sur un lit d'épinards, de laitue ou dans votre propre lit.

Pour | 2 personnes assurées
en cas d'incendie
Temps | 10 minutes

- 1 extincteur
- 2 bananes bien mûres
  (limite un peu noircies)
- 30 ml (2 c. à soupe) de beurre
- 60 ml (¼ tasse) de cassonade
- 60 ml (¼ tasse) de rhum brun
  ou de cognac
- 1 briquet (à long manche, de préférence)

Attention : n'exécutez pas cette recette de haute voltige dans un état second.

BANANES FLAMBÉES

01 Sortez l'extincteur et pelez les bananes. **02** Dans une poêle, faites fondre le beurre à feu moyen. **03** Déposez les bananes dans la poêle, saupoudrez de la cassonade et faites dorer environ 2 minutes de chaque côté. **04** Versez l'alcool sur les bananes. Si votre poêle est trop chaude, il se peut que les bananes flambent sans que vous leur ayez demandé leur avis. Dans ce cas, gardez votre sang froid et n'appelez pas tout de suite le 911. L'alcool s'évaporera très vite et la flamme s'éteindra d'elle-même. Si le feu n'a pas déjà pris dans la poêle, approchez avec précaution la flamme du briquet, puis laissez l'alcool brûler. **05** Servez la banane flambée avec de la crème glacée à la vanille. Faites cette recette devant vos invités et on vous prendra pour un grand chef (sauf si le reste du repas était immangeable). Évidemment, attendez de bien maîtriser la technique du flambage. Vous ne voudriez pas être surpris à gémir d'effroi au moment où la poêle s'embrase.

VERSION DE LUXE
POUR UNE TOUCHE DE RAFFINEMENT, RETIREZ LES BANANES FLAMBÉES DE LA POÊLE, VERSEZ LE JUS ET LE ZESTE D'UNE ORANGE. LAISSEZ RÉDUIRE QUELQUES INSTANTS ET NAPPEZ LES BANANES DE LA SAUCE À L'ORANGE. DANS CE CAS, UTILISEZ DE PRÉFÉRENCE DU GRAND MARNIER POUR FLAMBER LES BANANES. LE CRACHEUR DE FEU POURRA ALLER SE RHABILLER.

À MOINS QUE VOUS BRÛLIEZ D'ENVIE DE VOIR DÉBARQUER QUELQUES POMPIERS BARAQUÉS DANS VOTRE SALON...

BOUCHER
UN COIN

J'AI FAIM.
TOUT DE SUITE.

Pour | 20 muffins
Temps | 20 minutes de préparation
+ 30 minutes de cuisson

- 250 ml (1 tasse) de sucre
- 80 ml (⅓ tasse) d'huile végétale
- 160 ml (⅔ tasse) de yogourt nature
- 4 œufs
- 5 ml (1 c. à thé) d'extrait de vanille
- 250 ml (1 tasse) de farine blanche
- 250 ml (1 tasse) de farine de blé
- 5 ml (1 c. à thé) de p'tite vache
- 5 ml (1 c. à thé) de poudre à pâte
- 5 ml (1 c. à thé) de sel
- 5 ml (1 c. à thé) de cannelle
- 4 carottes moyennes râpées
- 2 petites pommes râpées
- 250 ml (1 tasse) de raisins secs

MUFFINS AUX CAROTTES

01 Allumez le four à 350 °F. **02** Si vous n'utilisez pas de moules à muffins en papier, doigts seront peut-être un peu graisseux, mais aux yeux de l'écolo, vous serez sans tache. **03** Dans un bol, mélangez le sucre, l'huile, le yogourt, les œufs et la vanille et battez vigoureusement. Le sportif, l'écolo (encore lui !) et ceux qui désirent minimiser leur facture d'Hydro procéderont à la main au lieu de sortir le batteur électrique. **04** Dans un autre bol, mélangez le reste des ingrédients secs. **05** Versez les ingrédients secs dans le mélange liquide, brassez bien puis incorporez les carottes, les pommes et les raisins. **06** À l'aide d'une louche, remplissez les moules à muffins, pas trop généreusement pour ne pas que ça déborde une fois cuit. **07** Mettez au four environ 30 minutes.

VERSION DE LUXE
POUR UNE COLLATION UN PEU MOINS SANTÉ, VOUS POUVEZ COIFFER VOS MUFFINS D'UN CRÉMAGE AU FROMAGE À LA CRÈME. MÉLANGEZ 125 ML DE FROMAGE MOU, 30 ML DE BEURRE, 125 ML DE SUCRE EN POUDRE, AINSI QUE LE ZESTE ET LE JUS D'UNE DEMI-ORANGE.

Pour | 6 grosses boules ou 12 petites
Temps | 30 minutes

Soudé au divan devant un écran qui vous bombarde les reprises d'un autre téléroman soporifique ?

Vous avez manifestement besoin d'un p'tit remontant.

- 250 ml (1 tasse) de dattes hachées grossièrement
- Le jus et le zeste d'**une** orange
- 250 ml (1 tasse) de riz soufflé, de type Rice Krispies
- 90 ml (6 c. à soupe) de noix de coco non sucrée
- 60 ml (¼ tasse) de canneberges séchées, hachées
- 60 ml (¼ tasse) de graines de tournesol
- 30 ml (2 c. à soupe) de graines de sésame

BOULES D'ÉNERGIE

01 Allumez le four à 325 °F. **02** Dans une casserole, faites chauffer les dattes, le jus et le zeste d'orange à feu doux à peu près 5 minutes ou jusqu'à ce que les dattes se défassent en une pâte plus ou moins homogène. **03** Dans un grand bol, mélangez le riz soufflé, 60 ml de noix de coco, les dattes, les canneberges et les graines d'abord avec une cuillère, puis avec les mains lorsque la cuillère en aura plein le dos. **04** Encore avec les mains, façonnez des boules avec le mélange. À ce stade-ci, c'est normal d'en avoir partout et de laisser tomber quelques jurons tirés de votre répertoire personnel. Pour ceux dont la patience rivalise avec celle du dalaï-lama, vous pouvez tenter de modeler des petites boules. C'est plus long, mais plus amusant à manger. **05** Roulez les boules dans le restant de noix de coco, disposez-les sur une plaque de cuisson beurrée et envoyez au four 10 minutes. **06** Lorsque c'est prêt, retournez sagement devant la télé et engouffrez une grosse boule ou deux petites. Une fois que le buzz de sucre se fera sentir, vous aurez un tel surplus d'énergie que vous vous attaquerez aux tâches que tous ceux qui sont passés dans l'appart avant vous ont toujours remis à plus tard : laver le rideau de douche, nettoyer l'arrière du frigo, mettre de la tapisserie dans le fond des armoires, repasser les rideaux, etc.

Pour ı 6 munchies
Temps ı 25 minutes

- **10 fruits imparfaits** dont on ne veut plus ou l'équivalent de **2 litres de fruits**
- Le jus d'**un** citron
- **30 ml (2 c. à soupe)** d'eau
- **1 morceau de 5 cm** de gingembre frais coupé en 2
- **1 bâton de cannelle**
- **1,25 ml (¼ c. à thé)** de cardamome moulue
- **5 ml (1 c. à thé)** de miel (au besoin)

COMPOTE DE FRUITS

POUR CEUX QUI ONT ÉTÉ SEVRÉ TROP JEUNES, PASSEZ AU ROBOT-CULINAIRE : ÇA DONNE LA TEXTURE DE LA PURÉE POUR BÉBÉS

01 Cette recette commence devant l'étal des fruits maudits à l'épicerie ou encore dans le frigo, sur les tablettes de vos colocs : vieilles pommes, pêches poquées, fraises molles, abricots gâtés. **02** Lavez ou épluchez les fruits, retirez les morceaux irrécupérables (cœurs, noyaux, bouts de chair moisie) coupez les fruits grossièrement et envoyez dans une casserole. **03** Ajoutez le jus de citron, l'eau, le gingembre, la cannelle et la cardamome. Faites cuire à feu moyen de 15 à 20 minutes, en brassant de temps en temps pour éviter que ça colle au fond de la casserole. **04** Retirez le bâton de cannelle, le morceau de gingembre et si nécessaire, réduisez en purée à l'aide du pile patate.

05 Ajoutez le miel pour un goût moins suret et laissez refroidir avant de réfrigérer.

POUR VARIER

Laissez-vous inspirer par les fruits fatigués pour faire vos compotes : osez la prune ratatinée avec fruits séchés gonflés dans le thé et 2 à 3 clous de girofle, redécouvrez la poire amochée avec petits fruits et vanille, revisitez le cantaloup douteux avec ananas et muscade… L'infini des possibles s'ouvre à vous !

RECYCLAGE

Essayez la compote sur du yogourt, dans une crêpe (p. 156), en accompagnement d'une viande… Vous pouvez même la congeler en glaçons que vous ajouterez à vos smoothies (p. 110). Vous seul connaissez les limites de votre compote !

- **250 ml** (**1 tasse**) de farine
- **310 ml** (**1 ¼ tasse**) de gruau
- **2,5 ml** (**½ c. à thé**) de p'tite vache
- **1,25 ml** (**¼ c. à thé**) de sel
- **125 ml** (**½ tasse**) de margarine
- **250 ml** (**1 tasse**) de cassonade
  légèrement tassée
- Le zeste et le jus d'**une** orange
- **1** œuf
- **80 ml** (**⅓ tasse**)
  de noix de coco râpée
- **125 ml** (**½ tasse**) de raisins secs

BISCUITS AU GRUAU

01 Allumez le four à 350 °F. **02** Dans un bol, mélangez la farine, le gruau, la p'tite vache et le sel. **03** Dans un autre bol, un peu plus grand cette fois, battez ensemble la margarine, la cassonade, le jus, le zeste d'orange et l'œuf jusqu'à consistance crémeuse et homogène (pas besoin du batteur électrique si vous avez un bon bras persévérant). **04** Ajoutez le mélange sec au mélange crémeux, puis incorporez la noix de coco et les raisins secs. **05** Sur une plaque de cuisson graissée, déposez la pâte par cuillerées, en espaçant bien chaque petit tas d'au moins 5 cm, sans quoi vous vous retrouverez avec une énorme galette, ce qui est un peu gênant côté partage. **06** Enfournez environ 15 minutes.

Pour ı 24 biscuits
Temps ı 30 minutes

- 250 ml (1 **tasse**) de sucre
- 125 ml (½ **tasse**) de cassonade
- 250 ml (1 **tasse**) de margarine
- 2 œufs
- 5 ml (1 **c. à thé**) de vanille
- 5 ml (1 **c. à thé**) de p'tite vache
- 2,5 ml (½ **c. à thé**) de sel
- 180 ml (¾ **tasse**)
  de flocons d'avoine
- 625 ml (2 ½ **tasses**) de farine
- 250 ml (1 **tasse**) de pépites
  de chocolat noir

MMMmmmmmmmmm m mmmmmm mmmmmmmmm m m m m m mm

BISCUITS AUX PÉPITES DE CHOCOLAT

01 Allumez le four à 375 °F. **02** Beurrez deux tôles à biscuit. **03** Dans un grand bol, versez le sucre, la cassonade, la margarine et mélangez. **04** Allez-y maintenant pour les œufs, la vanille et mélangez. **05** Incorporez la p'tite vache, le sel, l'avoine et (vous aurez deviné) mélangez ! **06** Versez maintenant la farine et (vous commencez à comprendre le principe) mélangez ! **07** Ajoutez finalement les pépites de chocolat et (on vous le donne en mille) mélangez ! **08** Déposez en petits tas sur les tôles et (oh ! l'action évolue) enfournez environ 8 minutes. **09** Laissez tiédir avant de retirer de la tôle. Accompagnez du classique, mais ô combien satisfaisant verre de lait.

VERSION DE LUXE
AU FOUR À 350 °F, FAITES GRILLER 250 ML DE PACANES DE 3 À 4 MINUTES. AJOUTEZ EN MÊME TEMPS QUE LE CHOCOLAT. POUR ENCORE PLUS DE DÉCADENCE, SUBSTITUEZ 80 ML DE PÉPITES PAR 3 TABLETTES SKOR EN MORCEAUX.

RECYCLAGE

Vous vous demandez si vous passerez encore le cadre de porte après avoir ingurgité une telle quantité de biscuits ? Congelez la pâte non cuite dans une pellicule plastique. Au moment opportun, vous n'aurez qu'à la sortir du congélateur, la couper en petites tranches et procéder à la cuisson. Et tout cela sans avoir eu à mélanger quoi que ce soit !

Pour ┃ 10 sacs Ziploc bien remplis
Temps ┃ 20 minutes

- **500 ml (2 tasses)** de noix non salées
- **32,5 ml (2 c. à soupe + ½ c. à thé)** de sucre
- **2,5 ml (½ c. à thé)** de sel
- **2,5 ml (½ c. à thé)** de cannelle
- **2,5 ml (½ c. à thé)** de cardamome moulue
- **1,25 ml (¼ c. à thé)** de gingembre moulu
- **1 pincée** de muscade et de clou de girofle moulu
- **7,5 ml (½ c. à soupe)** de beurre
- **7,5 ml (½ c. à soupe)** d'eau
- Le jus d'**un** ½ citron

*Alerte aux allergies :
une version sans noix
se trouve dans
l'encadré ci-dessous.*

NOIX AUX ÉPICES

01 Chauffez le four à 250 °F, étendez les <u>noix</u> sur une tôle à biscuit. Mettez au four de 7 à 10 minutes et poursuivez la recette. Ouvrez l'œil, et le bon, car les noix brûlent rapidement. **02** Dans un grand bol, mélangez 30 ml de <u>sucre</u>, le <u>sel</u> et les <u>épices</u>. Réservez. **03** Dans une casserole, à feu moyen-élevé, amenez à ébullition le reste de <u>sucre</u> avec le <u>beurre</u>, l'<u>eau</u> et le <u>jus de citron</u>, en brassant continuellement. **04** Une fois que ça bout, jetez les noix dans la casserole. Continuez à brasser

jusqu'à ce que le liquide s'évapore et que les noix soient enduites et bien collantes. **05** Balancez dans le grand bol avec les épices. Brassez énergiquement le bol et pas seulement son contenu afin de bien enrober les noix du mélange d'épices. **06** Étendez les noix sur une plaque et laissez refroidir. *CAR LA NOIX CHAUDE EST PLUTÔT MOLASSE SOUS LA DENT.*

POUR VARIER

Pour les allergiques aux noix, utilisez plutôt des graines de citrouille, de tournesol et des bananes séchées. Passez les graines au tamis ou à la passoire pour enlever l'excédent de sucre. Pour essayer d'autres mélanges d'épices, référez-vous aux assaisonnements des chips de pita (p.33).

Quand vous en aurez plein les joues de vos noix, passez-les quelques secondes au robot culinaire pour en faire un faux praliné. Les pacanes, les amandes et les noisettes donnent les meilleurs résultats. Saupoudrez-en sur votre gâteau blanc (p. 161), vos crèmes glacées, vos yogourts, vos amis, bref, sur ce que vous voudrez.

Pour ı 1 smoothie
Temps ı 5 minutes

- **250 ml (1 tasse)** de jus
  ou de lait de soya
- **125 ml (½ tasse)** de fruits frais
  ou congelés, coupés grossièrement
- **60 ml (¼ tasse)** de yogourt nature
  ou aux fruits

Si les étals de fruits à l'épicerie vous rappellent que votre dernier contact avec la chose remonte à un beigne fourré aux cerises, pensez Smoothie!

SMOOTHIE

01 Versez le <u>jus</u> dans le blender. Si vous avez un extracteur à jus (bravo!), faites votre propre jus de carottes, de bettraves ou de pommes. **02** Lavez et dénoyautez les <u>fruits</u>, si ce n'est déjà fait. Sachez que tout fruit peut faire l'affaire : fruits de saison achetés en trop grande quantité, compote en trop végétant dans le fond du frigo, fruits trop mûrs, trop maganés ou trop pâteux... Peu importe ce qu'ils ont en trop, y'a rien de trop beau pour votre blender ! **03** Ajoutez le <u>yogourt</u>. Si vous êtes en fin de session et que votre besoin en protéines se ressent jusqu'au plus profond de vos cernes, substituez le yogourt par du tofu mou. Si vous avez le cœur à la bamba, utilisez plutôt un restant de lait de coco. **04** Finalement, malaxez le tout à force maximale jusqu'à l'obtention d'une texture mousseuse et homogène. Votre corps vous remerciera.

POUR VARIER

Voici des idées de combinaisons pour vous inspirer. Et pour encore plus d'inspiration, vous pouvez ajouter une bonne dose de rhum ou de vodka à vos mélanges.
- Jus d'orange, fraises, bananes, yogourt (le classique!)
- Jus de carottes, jus d'orange, banane, yogourt
- Lait de riz, poires, bananes, yogourt
- Jus de betteraves, lime, melon d'eau, yogourt
- Lait de soya, bleuets, framboises, tofu mou
- Jus de pommes et de raisins, canneberge, yogourt
- Jus d'ananas, cantaloup, mangue, lait de coco

Pour ı 8 portions
Temps ı 15 minutes de préparation
+ 30 à 75 minutes de cuisson

- 500 ml (**2 tasses**) de farine
- 250 à 375 ml (**1 à 1 ½ tasse**) de noix hachées
- 80 ml (**⅓ tasse**) de sucre
- 5 ml (**1 c. à thé**) de p'tite vache
- 2,5 ml (**½ c. à thé**) de sel
- 5 ml (**1 c. à thé**) de cannelle
- 3 à 4 bananes très mûres écrasées
- 125 ml (**½ tasse**) de yogourt nature → *OU ENCORE 125 ML DE YOGOURT À LA VANILLE*
- 5 ml (**1 c. à thé**) de vanille
- 2 œufs
- 60 ml (**¼ tasse**) d'huile ou de beurre fondu

Quand un Simple coup d'œil à vos bananes noires, molles et suintantes vous donne un haut-le-cœur, c'est le moment idéal pour en faire un pain.

PAIN AUX BANANES

PLUS IL Y A DE BANANE, PLUS C'EST LONG À CUIRE.

01 Allumez le four à 350 °F. **02** Huilez et enfarinez un moule à pain. **03** Dans un bol, mélangez la farine, les noix, le sucre, la p'tite vache, le sel et la cannelle. Réservez. **04** Dans un autre bol, mélangez les bananes, le yogourt, la vanille, les œufs et l'huile. **05** Ajoutez-y les ingrédients secs et mélangez bien. **06** Versez la préparation dans le moule et enfournez de 65 à 75 minutes ou jusqu'à ce que vous enfonciez une fourchette au centre du pain et qu'elle ressorte propre. Un bon truc : ça sentira la banane quand le pain sera prêt. Vous êtes pressé de manger votre pain aux bananes (un avion à prendre, une mission diplomatique à diriger) ? Sachez qu'en utilisant un moule carré, le temps de cuisson du pain ne sera que de 30 minutes environ.

VERSION DE LUXE
AJOUTEZ 250 ML DE BRISURES DE CHOCOLAT
AUX INGRÉDIENTS SECS. SIMPLE, MAIS GAGNANT.

RECYCLAGE

....

Pas le temps de cuisiner ? Vous pouvez rescaper vos bananes à la frontière du comestible en les mettant au congélateur. Lorsque vous sentirez l'appel du pain, décongelez-les en prenant soin de les égouttez.

C'EST EN SPÉCIAL!

(kl) 100 pds lbs
2.99   0.270

2 25150 00807

30.5.08   12.6.08

4.27

Remplir un frigo sans vider son portefeuille, quel bonheur! Et soyons honnête: le charme des soupes en sachets a des limites qu'on atteint plus rapidement que la fin du mois. Pour remplacer cette version terne du repas économique, voici une série de bouffes stimulantes dont l'aliment principal se trouve régulièrement dans la circulaire de la semaine; consultez cette nouvelle alliée avant de l'envoyer dans le bac vert...

Pour ⏐ 4 portions et des restes
Temps ⏐ 10 minutes de préparation
+ 1 heure à 1 ½ heure de cuisson

- 30 ml (2 c. à soupe) d'huile d'olive
- 20 ml (4 c. à thé) de moutarde de Dijon
- 10 ml (2 c. à thé) d'origan
- 5 ml (1 c. à thé) de romarin
- 5 ml (1 c. à thé) de paprika
- 1,25 ml (¼ c. à thé) de sel
- 1,25 ml (¼ c. à thé) de poivre
- 1 poulet entier en spécial d'environ **2 kg**
- 250 ml (1 tasse) de bouillon de poulet
- 6 légumes coupés en 4 (1 gros oignons, 2 grosses carottes, 3 branches de céleri)
- Sel, poivre et paprika au goût

La poitrine ou la cuisse, la chair ou l'os, l'œuf ou la poule... Finies les divisions : aimez votre poulet sous toutes ses coutures !

POULET RÔTI

01 Chauffez le four à 350 °F. **02** Dans un petit bol, mélangez l'huile, la moutarde, l'origan, le romarin, le paprika, le sel et le poivre. **03** Décollez doucement la peau du poulet sans l'arracher (restez tendre), en passant vos doigts sous la peau de la poitrine et des cuisses : elle se distendra et vous pourrez y insérer la pâte à la moutarde. Si l'idée de tripoter la bête vous donne la chair de poule, recouvrez-la simplement du mélange. **04** Versez le bouillon au fond d'un gros plat allant au four, jetez-y les légumes. Déposez ensuite le poulet, poitrine vers le haut, sur les légumes et saupoudrez gaiement de sel, de poivre et de paprika. **05** Enfournez de 1 à 1 ½ heure, selon la grosseur du poulet et dégustez avec des patates enrobées de papier d'aluminium mises au four en même temps que le poulet.

Vous saurez aisément récupérer la chair du poulet dans vos salades, vol-au-vent, pâtes... Mais que faire de la carcasse et des os ? Les jeter aux poubelles ? Diable non ! Mettez-les plutôt dans une casserole, recouvrez d'eau, assaisonnez de sel, de poivre, de fines herbes, de légumes et de fruits en trop (oignon, pommes, ail) et laissez bouillir 45 minutes. Égouttez et voilà le bouillon pour vos soupes, riz, sauces et autres plaisirs ! Si l'énergie vous manque, congelez la carcasse et procédez à l'opération un autre tantôt.

Pour | 8 personnes
Temps | 20 minutes de préparation
+ 45 minutes à 1 heure de cuisson

GÂTEAU AU FROMAGE

Croûte

- 375 ml (1 ½ tasse) de chapelure Graham
- 80 ml (⅓ tasse) de beurre fondu
- 5 ml (1 c. à thé) de cannelle
- 60 ml (¼ tasse) de sucre

Garniture

- 500 g ou 2 paquets
  de fromage à la crème ramolli, en spécial
- 125 ml (½ tasse) de sucre
- 125 ml (½ tasse) de crème sûre
- 5 ml (1 c. à thé) d'extrait de vanille
- 15 ml (1 c. à soupe) de zeste d'orange
- 3 œufs

Coulis

- 250 ml (1 tasse) de fruits frais ou congelés
- 30 ml (2 c. à soupe) d'eau
- 15 ml (1 c. à soupe) de sucre

01 Allumez le four à 300 °F. **02** Mélangez tous les ingrédients de la croûte. Transvidez dans un moule rond beurré et avec les mains, compactez bien la chapelure au fond du moule. Mettez au four 15 minutes, histoire de précuire la croûte. **03** Pendant ce temps, mélangez au fouet et avec vigueur le fromage, le sucre, la crème sûre, la vanille, le zeste d'orange et les jaunes d'œufs dans un grand bol. **04** Dans un autre bol, montez les blancs d'œufs en neige à l'aide d'un batteur électrique, jusqu'à obtenir des pics fermes (environ 3 minutes, à force maximale). **05** Ajoutez les blancs d'œufs à la préparation de fromage en brassant délicatement avec une spatule pour que les blancs restent mousseux.

06 Versez cette préparation onctueuse sur la croûte et continuez la cuisson environ 1 heure. **07** Pendant ce temps, faites le coulis en chauffant dans une casserole à feu moyen les fruits, l'eau ainsi que le sucre et faites mijoter une vingtaine de minutes. **08** Retirez le gâteau du four* et laissez refroidir, car c'est froid que ce dessert est à son meilleur.

09 Pour servir, nappez du coulis et roulez-vous par terre.

*IL DÉGONFLERA, C'EST NORMAL.

Pour | 2 personnes
Temps | 20 minutes

- **1 grosse gousse** d'ail hachée finement
- **7,5 ml (½ c. à soupe)** de paprika
- **1,25 ml (¼ c. à thé)** d'origan
- **1 pincée** de piment de Cayenne
- **15 ml (1 c. à soupe)** de pâte de tomates
- **7,5 ml (½ c. à soupe)** de cassonade
- **15 ml (1 c. à soupe)** d'huile d'olive
- Environ **24 grosses crevettes crues**, fraîches ou congelées, en spécial

Les grosses crevettes font la « une » de votre circulaire ? Accourez !

CREVETTES ÉPICÉES

01 Dans un bol, mettez l'ail, les épices, la pâte de tomates et la cassonade et mélangez le tout avec l'huile d'olive pour formez une pâte. **02** Ajoutez les crevettes décortiquées dans le bol et enrobez-les bien avec la pâte. Si vous avez tout le temps devant vous, laissez mariner les crevettes 15 minutes, mais si vous avez autre chose à faire de votre soirée, passez tout de suite à l'étape suivante. **03** Faites chauffer votre poêle à feu élevé. Lorsqu'elle est bien chaude, déposez les crevettes. Après 2 minutes, retournez les crevettes rapidement. Une minute de l'autre côté et ça y est. Avec ça, vous ne pourrez absolument pas vous plaindre d'avoir passé la soirée dans la cuisine (sauf si ça vous chante de le faire croire aux plus impressionnables de vos amis).

POUR VARIER
La pâte épicée peut être utilisée pour faire sauter d'autres viandes. Essayez-la avec des filets de poulet ou du porc.

Pour | 2 personnes
Temps | 25 minutes

Un repas spécial pour une personne spéciale ... quand le filet de porc tombe en spécial.

- 20 ml (**4 c. à thé**) de beurre
- Environ **500 g** de filet de porc en spécial
- Le **quart** d'un oignon émincé
- **125 ml (½ tasse)** de bouillon de poulet
- **15 ml (1 c. à soupe)** de moutarde de Dijon
- **5 ml (1 c. à thé)** de moutarde à l'ancienne (si vous en avez)
- **5 ml (1 c. à thé)** de miel
- **2,5 ml (½ c. à thé)** d'estragon séché
- **80 ml (⅓ tasse)** de crème à 15 %
- Sel et poivre au goût

FILET DE PORC SAUCE MOUTARDE

01 Allumez le four à 300 °F. **02** Dans une poêle, faites fondre 15 ml de beurre à feu moyen-élevé et faites saisir le filet de porc entier 2 minutes de chaque côté. Transférez la viande dans un plat allant au four et justement, mettez-le au four 15 minutes. **03** Pendant ce temps, faites fondre le restant de beurre dans la même poêle et faites revenir l'oignon à feu moyen-doux en grattant bien pour détacher les particules de viande collées au fond, ce qui contribuera à rehausser la saveur de la sauce. **04** Après 3 minutes de cuisson, ajoutez le bouillon de poulet, la moutarde, le miel et l'estragon et laissez réduire à feu doux. **05** Après une dizaine de minutes, versez la crème et poursuivez la cuisson encore quelques instants. Goûtez la sauce et rectifiez l'assaisonnement. Au besoin, ajoutez un peu de sel et de poivre. **06** Une fois la cuisson du filet de porc terminée, sortez-le du four. Laissez-le reposer 5 minutes sur le comptoir. **07** Tranchez ensuite le filet bien rosé en médaillons d'environ 2 cm d'épaisseur et mettez dans la poêle avec la sauce moutarde. Laissez mijoter un dernier 2 minutes et servez avec le féculent et le p'tit légume (... en spécial !) de votre choix.

AVEZ-VOUS DÉJÀ PASSÉ 15 MINUTES DANS UN SAUNA À 300°F ? VOUS VERRIEZ COMME C'EST ÉPUISANT !

SPECIAL
PAR PORTION
$1.53

Pour ı 2 repas, 2 lunchs et
1 portion congelée
Temps ı 1 heure et quart

- 80 ml (⅓ **tasse**) de beurre
- 80 ml (⅓ **tasse**) de farine
- 500 ml (**2 tasses**) de lait
- 375 ml (1 ½ **tasse**) de bouillon de poulet
- 1 oignon haché
- 2 gousses d'ail hachées
- 160 ml (⅔ **tasse**) de romano ou
  de feta en spécial
- 1 chou-fleur coupé en petits bouquets
- 90 ml (6 c. à soupe) de chapelure
- 500 ml (**2 tasses**) de fromage
  (cheddar, gruyère, etc.) en spécial, râpé
- 2,5 ml (½ c. à thé) de muscade
- Poivre
- Paprika

GRATIN DE CHOU-FLEUR

01 Chauffez le four à 350 °F. **02** Dans une grande casserole, à feu moyen, faites fondre le beurre. Ajoutez la farine et mélangez jusqu'à l'obtention d'une pâte (le fameux roux du patatothon, p. 138). **03** Ajoutez le lait, le bouillon, les oignons et l'ail et brassez constamment jusqu'à ce que ça épaississe (environ 12 minutes). Ajoutez 80 ml de romano et brassez 2 autres minutes. **04** Mettez le chou-fleur dans un plat à lasagne et recouvrez de la sauce blanche. Réservez. **05** Dans un bol, mélangez la chapelure, le fromage râpé, le reste du romano, la muscade et du poivre. Recouvrez le chou-fleur de cette mixture fromagée, saupoudrez de paprika, enfournez 50 minutes. **06** Terminez le tout à « broil » de 3 à 5 minutes.

POUR VARIER

Pour quelque chose de moins monochrome (une sauce blanche, du chou-fleur et du fromage, ça fait blanc longtemps), ajoutez la moitié d'un paquet d'épinards hachés et 250 g de jambon ou de poulet en cubes à la sauce.

Si vous trouvez dans le frigo un peu de caviar d'aubergines, une cuillerée d'humus, un fond de ratatouille ou autres restes qui vous inspirent, ajoutez-les à la sauce blanche en même temps que le romano.

JAMAIS LE CHOU-FLEUR, LÉGUME
À L'ALLURE INSOLITE, NE VOUS
AURA FAIT À CE POINT L'EFFET
D'UNE BOMBE!

SPÉCIAL
PAR PORTION
$0.48

Pour | 4 personnes et un congélateur bien rempli
Temps | 20 minutes de préparation + 45 minutes de cuisson

- 60 ml (¼ **tasse**) d'huile d'olive
- 30 ml (2 c. à soupe) d'origan séché
- 1 grosse aubergine en spécial, coupée en petits dés
- 2 oignons coupés en dés
- 4 gousses d'ail coupées grossièrement
- 2 poivrons en spécial coupés en dés
- 2 courgettes en spécial coupées en dés
- 1 grande conserve de **796 ml** de tomates concassées en spécial
- 1 petite conserve de **156 ml** de pâte de tomate
- 125 ml (½ **tasse**) d'olives marocaines (facultatif)
- 2,5 ml (½ c. à thé) de sauce piquante
- 15 ml (1 c. à soupe) de sucre
- 2 clous de girofle
- 2 feuilles de laurier
- 2,5 ml (½ c. à thé) de sel et de poivre

RATATOUILLE

01 Dans une grande casserole à feu moyen-élevé, chauffez l'huile et l'origan puis faites revenir sans cérémonie l'aubergine, les oignons et l'ail. Après 4 minutes, ajoutez les poivrons, les courgettes et remuez 2 autres minutes. **02** Montez le feu au maximum et versez tout bonnement les tomates et la pâte de tomate et brassez bien. **03** Ajoutez les olives, la sauce piquante, le sucre, les clous de girofle, les feuilles de laurier, le sel et le poivre et remuez. Dès que la ratatouille commence à bouillonner, baissez le feu à moyen-doux. **04** Laissez mijoter tranquillement environ 45 minutes et remuez lorsque vous passez par la cuisine. Simple comme bonjour.

POUR VARIER
Pour assouvir votre soif de protéines, ajoutez 1 bloc de tofu coupé en petit cubes et faites revenir en même temps que les oignons. Re bonjour !

Gratinée sur du pain grillé en croque-monsieur, sur une tranche épaisse de jambon avec un œuf poché, sur des pâtes ou en lasagne, la ratatouille a plusieurs visages. À bon entendeur... bonjour !

Pour | 8 personnes
Temps | 20 minutes de préparation
+ 1h15 de cuisson

- **1 rôti de bœuf** en spécial d'environ **1,5 kg** (Dans l'ordre de tendreté : contre-filet, faux-filet, haut de surlonge et intérieur de ronde. Évidemment, plus c'est tendre, plus c'est cher !)
- **30 ml (2 c. à soupe)** de beurre ramolli
- **20 ml (4 c. à thé)** de moutarde sèche
- **20 ml (4 c. à thé)** d'épices à bifteck
- **15 ml (1 c. à soupe)** de sauce Worchestershire
- **15 ml (1 c. à soupe)** de sauce HP
- **1 petit oignon** émincé
- **250 ml (1 tasse)** au moins de vin rouge (ou de bouillon)
- **5 ml (1 c. à thé)** de fécule de maïs

ROAST
BEEF

* L'INTÉRIEUR DE RONDE, OU RÔTI FRANÇAIS, DEVIENT SEC S'IL CUIT TROP. 45 MINUTES SUFFISENT GÉNÉRALEMENT.

01 Allumez le four à 400 °F. **02** Si votre morceau de bœuf n'a pas l'aspect d'un beau rôti, prenez votre courage et votre ficelle de boucher à deux mains et ficelez-le en une boule. Si vous n'avez pas ces habiletés, faites comme nous : de votre mieux. L'essentiel est de permettre à votre pièce de viande de cuire uniformément. **03** Dans un petit bol, mélangez le beurre, la moutarde, les épices, les sauces et l'oignon pour former une pâte. Enduisez-en le rôti. **04** Placez dans une rôtissoire ou tout autre contenant avec couvercle allant au four. Versez un fond de vin dans la rôtissoire. **05** Pour la cuisson, allez-y à 400 °F avec couvercle pour la première demi-heure, puis environ 45 minutes sans couvercle à 350 °F. Si vous êtes du genre zélé, arrosez le rôti aux 15 minutes.*ˣ **06** Sortez la viande de la rôtissoire et laissez-la reposer pendant que vous faites la sauce. Procédez comme suit : récupérez le liquide dans la rôtissoire en y faisant réduire 125 ml de vin. Ajoutez la fécule pour épaissir. Servez sur des tranches du roast-beef saignant.

RECYCLAGE

Au prix où vous avez payé le rôti, vous trouverez bien des façons de récupérer les restants. À court d'idées ? Coupez de fines tranches de bœuf pour en faire des sandwichs ou coupez-le en lanières pour vos sautés de légumes (p. 84).

SPECIAL
PAR PORTION
$1.88

Pour I 3 personnes ou 2 gourmands
Temps I 55 minutes

- 80 ml (⅓ tasse) d'huile d'olive
- **1 gousse** d'ail hachée
- **2 gouttes** de sauce piquante
- **1 morceau de 3 cm** de gingembre frais, haché finement
- **5 ml (1 c. à thé)** de gingembre moulu
- **5 ml (1 c. à thé)** de moutarde sèche
- **5 ml (1 c. à thé)** de coriandre moulue
- **10 ml (2 c. à thé)** de basilic séché
- **400** à **450 g (1 livre)** de saumon en spécial, frais ou congelé (ne dégelez pas au micro-ondes!)
- Sel et poivre au goût

SAUMON AU FOUR

01 Dans un contenant juste assez grand pour contenir le poisson, mélangez l'huile, l'ail, la sauce piquante, le gingembre frais et moulu, la moutarde, la coriandre et 5 ml de basilic. **02** Déposez-y le saumon et enduisez-le de la marinade. Si le poisson n'est pas complètement enduit, ajoutez un peu d'huile. Laissez mariner 30 minutes. **03** Chauffez le four à 375 °F. **04** Déposez le saumon sur une plaque, saupoudrez de

5 ml de basilic, de sel et de poivre. Enfournez 6 à 12 minutes (gros maximum!), selon l'épaisseur du poisson. Trop cuit, le saumon devient sec, alors soyez vigilant.

VERSION DE LUXE
SI VOUS AVEZ UN BON POISSONNIER PRÈS DE CHEZ VOUS, OUBLIEZ LA MARINADE ET FAITES CUIRE LE SAUMON AU NATUREL, AVEC UN PEU D'HUILE D'OLIVE, DE SEL ET DE POIVRE. AU MOMENT DE SERVIR, AJOUTEZ DU CITRON ET VOILÀ!

REC YCL AGE

Dans le cas peu probable qu'il vous en reste, essayez le saumon sur des pâtes avec une sauce crémeuse ou sur un bagel avec du fromage à la crème, des câpres et de l'oignon. Un conseil en passant : avec l'haleine que vous procure la dernière option, pensez à reporter la séduction de votre nouvelle flamme à un autre moment.

TOUT ARRIVE EN MÊME TEMPS. LES COMPTES À PAYER, LES FRAIS DE

RETARD À LA BIBLIOTHÈQUE, L'ANNIVERSAIRE DE VOTRE MEILLEUR

CHUM, VOTRE CARTE DE CRÉDIT EST PLEINE ET C'EST LA SEMAINE

QUE VOUS CHOISISSEZ POUR PERDRE 20$ DANS UNE GAGEURE AU

HOCKEY. EN PLUS, L'ESPOIR QUE VOUS FONDIEZ

SUR UNE ARRIÈRE-GRANDE-TANTE INCONNUE QUI VOUS LÉGUERAIT

SON MILLION NE S'EST ÉTONNEMMENT PAS RÉALISÉ CE MOIS-CI.

EN ATTENDANT, VOICI DE QUOI VOUS METTRE SOUS LA DENT.

Le temps de trouver le numéro du
resto, d'avoir la ligne, de passer
la commande et d'attendre la livraison,
Vous aurez ces pilons exquis.

Et au dixième du prix !

Pour | 3-4 personnes
Temps | 15 minutes de préparation
+ 50 minutes de cuisson

- 1 oignon haché
- 45 ml (3 c. à soupe) de cassonade
- 30 ml (2 c. à soupe) d'huile
- 125 ml (½ tasse) de jus de pomme
- 125 ml (½ tasse) de jus de tomates
- 1 petite boîte de 156 ml de pâte de tomate
- 80 ml (⅓ de tasse) de vinaigre de vin rouge
- 45 ml (3 c. à soupe) de sauce soya
- 5 ml (1 c. à thé) de sauce piquante
- 2,5 ml (½ c. à thé) de paprika
- 1,25 ml (¼ c. à thé) de chacune de ces épices : cumin, gingembre moulu, cannelle, piment fort broyé, poudre de chili, poivre
- 8 à 12 pilons de poulet sans la peau (enlevez-la vous-même)

PILONS DE POULET BBQ

01 Dans un gros chaudron à feu moyen-élevé, faites revenir l'oignon et la cassonade dans 15 ml d'huile pendant 2 minutes. **02** Ajoutez le jus de pomme, le jus de tomate, la pâte de tomate, le vinaigre, la sauce soya, la sauce piquante, les épices, augmentez le feu au maximum et brassez. **03** Déposez les pilons de poulet dans le chaudron. **04** Une fois que ça bout à gros bouillons, retournez les pilons de poulet à l'aide d'une pince pour bien les recouvrir de sauce, diminuez le feu à moyen et laissez mijoter 20 minutes. **05** Retournez les pilons dans la sauce, recouvrez le chaudron pour éviter que tout le liquide ne s'évapore et laissez mijoter encore 15-20 minutes. **06** Diminuez le feu au minimum et attendez 10-15 minutes, le temps que la sauce se caramélise autour des pilons. Servez avec une montagne de papiers essuie-tout et une salade verte pour vous donner bonne conscience.

DÉCUPLEZ LE PLAISIR EN MANGEANT AVEC LES DOIGTS

POUR VARIER

Quand la sauce BBQ aura perdu de sa superbe, essayez ceci : dans un gros chaudron, faites bouillir 125 ml de jus de pomme, 125 ml de bouillon de poulet, 60 ml de miel, 60 ml de sauce soya, 30 ml d'huile, 4 gousses d'ail hachées et 3 cm de gingembre frais pelé et haché et suivez la recette à partir de l'étape 3.

Pour | 8 affamés peu fortunés
Temps | 1 heure

- 1 oignon haché
- 3 ou 4 gousses d'ail hachées finement
- 15 ml (1 c. à soupe) de piments broyés
- 30 ml (2 c. à soupe) d'huile
- 700 g (1 ½ livre) de bœuf haché maigre
- 30 ml (2 c. à soupe) de poudre de chili
- 15 ml (1 c. à soupe) de cumin
- 15 ml (1 c. à soupe) de coriandre moulue
- 15 ml (1 c. à soupe) de cassonade
- 1 conserve de 796 ml de tomates concassées
- 30 ml (2 c. à soupe) de pâte de tomates
- 2 conserves de 540 ml de haricots rouges rincés et égouttés
- 1 conserve de 350 ml de maïs en grains
- 1 poivron vert haché
- Sel et poivre au goût

Vous pouvez aussi préparer ce chili con tofu, con légumes, bref, con ce-que-vous-avez !

CHILI CON CARNE

01 Dans une grande casserole, faites revenir l'oignon, l'ail et les piments broyés dans l'huile à feu moyen ou jusqu'à ce que les oignons aient perdu un peu de leur tonus.

02 Faites ensuite brunir la viande en brassant pour vous assurer que la cuisson soit uniforme et que bœuf soit bien émietté.

03 Ajoutez les épices, la cassonade et les tomates, et faites frémir à feu moyen 20 minutes en remuant de temps à autre.

04 Ajoutez les fèves rouges et poursuivez la cuisson encore 20 minutes, toujours en brassant une fois de temps en temps.

05 Ajoutez finalement le poivron vert et le maïs et laissez mijoter encore une dizaine de minutes, le temps que les poivrons obtiennent la texture désirée (cuits, sans être flasques). **06** Servez le chili avec une sploutche de crème sûre.

RECYCLAGE

Après une énième assiette de chili, vous pouvez récupérez les restants en les transformant en une soupe mexicaine. Ajoutez simplement du jus de tomates ou du bouillon à votre chili pour obtenir la consistance désirée et réchauffez dans une casserole 15 minutes.

Pour ı 6 personnes
Temps ı 1 heure

Cassé comme un clou? Le temps est venu pour une épreuve d'endurance bien particulière, le « patatothon ». À moins qu'on vous organise un téléthon...

- 60 ml (¼ tasse) de beurre
- 60 ml (¼ tasse) de farine
- 500 ml (2 tasses) de lait
- 1 petit oignon haché très fin (facultatif)
- 2,5 ml (½ c. à thé) de sel
- 2,5 ml (½ c. à thé) de poivre
- 30 ml (2 c. à soupe) de fines herbes
- 2 conserves de 198 g de thon émietté
- 6 patates coupées en fines rondelles (environ 0,5 cm)
- Vieux bouts de fromage trouvés sur les tablettes du frigo
- 30 ml (2 c. à soupe) de chapelure

PATATES AU THON

✱ SI VOTRE RÉCOLTE DE VIEUX BOUTS DE FROMAGE DANS LE FRIGO A ÉTÉ TRÈS FRUCTUEUSE, VOUS POUVEZ EN INSÉRER ENTRE LES COUCHES. SINON, GARDEZ-LES POUR LA FIN.

01 Allumez le four à 350 °F. **02** Dans une casserole, faites fondre le beurre à feu moyen. Une fois le beurre fondu, ajoutez la farine et mélangez pour former une pâte. Les gens qui s'y connaissent appellent ça un roux. Laissez cuire quelques instants, le temps que ce roux devienne blond foncé. **03** Ajoutez ensuite le lait et l'oignon dans la casserole et brassez au fouet pour faire dissoudre le roux. Ajoutez les assaisonnements et brassez ensuite jusqu'à ce que la sauce épaississe, soit au moins 10 bonnes minutes. Entre temps, emplissez-vous d'un sentiment de fierté puisque vous connaissez désormais les secrets de la sauce béchamel.

04 Une fois que la sauce est d'une consistance onctueuse, ajoutez le thon et rectifiez l'assaisonnement. **05** Dans un plat à lasagne, disposez une couche de patates en rondelles. Mettez ensuite une couche généreuse de béchamel. Alternez ensuite les patates et la sauce au thon, et ce jusqu'à épuisement des stocks. **06** Terminez avec le fromage et saupoudrez le tout de chapelure. **07** Enfournez environ 40 minutes, le temps que les patates soient cuites.

POUR VARIER

Vous pouvez aussi servir cette béchamel au thon sur des pâtes. Si vous avez du fromage, gratinez le tout. Pendant un instant, vous oublierez le trou noir qui s'est installé dans votre compte en banque.

Pour | 6 personnes
Temps | 50 minutes

- 5 ou 6 patates pelées et coupées en fines rondelles
- **125 ml** d'huile végétale ou d'huile d'olive (si vous en avez assez pour finir le mois) au moins
- 2 ou 3 oignons coupés en rondelles
- 8 œufs
- **5 ml (1 c. à thé)** de sel et de poivre

TORTILLA ESPAGNOLE

D'un minimalisme foudroyant côté ingrédients, cette recette exige un certain doigté dans sa préparation.

CERTAINS TROUVERONT QUE C'EST BEAUCOUP D'HUILE MAIS QUE CELUI QUI NE SE DÉLECTE PAS DE FRITURE À L'OCCASION JETTE LA PREMIÈRE PIERRE !

01 Mettez les patates dans une poêle anti-adhésive et versez l'huile jusqu'à en recouvrir le quart. Faites cuire à feu moyen-doux en remuant souvent afin d'éviter que les patates brunissent. **02** Après 10 minutes de cuisson, ajoutez les oignons ainsi que 2,5 ml de sel et de poivre. Poursuivez la cuisson encore 15 minutes en retournant souvent les patates. **03** Entre-temps, battez les œufs dans un grand bol et assaisonnez de 2,5 ml de sel et de poivre. **04** Lorsque les pommes de terre cèdent sous la fourchette sans se défaire complètement, elles sont assez cuites. Égouttez alors le surplus d'huile à l'aide d'une passoire, ajoutez les patates aux œufs battus et brassez délicatement. **05** Transposez le mélange dans la poêle encore chaude et continuez la cuisson à feu moyen-doux jusqu'à ce que le dessus de la tortilla soit pris, sans être cuit tout à fait (au moins 15 minutes). **06** Vient maintenant l'étape hautement périlleuse du Grand Retournement. Remonter vos manches, prenez deux grandes respirations. Prêt ? Détachez les rebords de l'omelette à l'aide d'une spatule, agitez un peu la poêle pour bien la décoller et déposez une assiette au moins du diamètre de la poêle sur la tortilla. Silence et roulement de tambour… Avec précaution, retournez la poêle. Si tout va pour le mieux, la tortilla se détachera en un seul morceau. Glissez ensuite la tortilla de l'assiette à la poêle. Laissez cuire encore 2 minutes et le tour est joué. Servez avec de la sauce piquante. Olé !

ET SINON… IL N'Y A TOUT DE MÊME PAS MORT D'HOMME… OU PLUTÔT DE TORÉADOR !

PAR PORTION
$0.49

Pour | 8 personnes
Temps | 20 minutes de préparation
+ 90 minutes de cuisson

- 2 conserves de **540 ml** de légumineuses au choix (par exemple une de pois chiches et une autre de légumineuses mélangées)
- 1 oignon haché finement
- 1 branche de céleri hachée finement
- 2 carottes râpées
- 3 gousses d'ail hachées
- **250 ml (1 tasse)** de cheddar pas cher râpé
- **250 ml (1 tasse)** de flocons d'avoine
- **90 ml (6 c. à soupe)** de chapelure
- 3 œufs battus
- **30 ml (2 c. à soupe)** de sauce soya
- **5 ml (1 c. à thé)** de sauce piquante
- **30 ml (2 c. à soupe)** de vinaigre (de vin, de cidre ou de framboise)
- **30 ml (2 c. à soupe)** de sauce chili
- **20 ml (4 c. à thé)** de fines herbes
- Sel et poivre

EXERCHICHE DE DICTION : « CHACUN CHERCHE SON CHEDDAR PAS CHER » RÉPÉTEZ 10 FOIS.

PAIN AUX LÉGUMINEUSES

01 Allumez le four à 350 °F. **02** Rincez et égouttez les légumineuses. Écrasez-les ensuite grossièrement au pile patates, au robot culinaire ou, plus laborieusement, au fouet (laissez l'astuce d'écraser avec les pieds aux vignerons français). **03** Dans un grand bol, mélangez les légumineuses, les légumes, le fromage, les flocons d'avoine et la chapelure. **04** Ajoutez ensuite les œufs, les sauces et les assaisonnements. Mêlez bien le tout. **05** Ne vous fiez pas à l'aspect un peu boueux de la préparation (rappelez-vous *Le petit prince* : « L'essentiel est invisible pour les yeux »…) et versez dans un moule à pain graissé. **06** Tapez légèrement la surface et mettez au four environ 1 heure et demie. Servez avec une sauce tomate (p. 145) ou avec de la ratatouille (p. 127).

Vous serez ravis d'apprendre que le pain se congèle à merveille (surtout après l'avoir eu dans votre assiette quelques repas de suite). Pour ce faire, tranchez-le en portions individuelles. Lorsque vous sortirez le pain du congélateur, faites-le réchauffer à 250 °F une quinzaine de minutes.

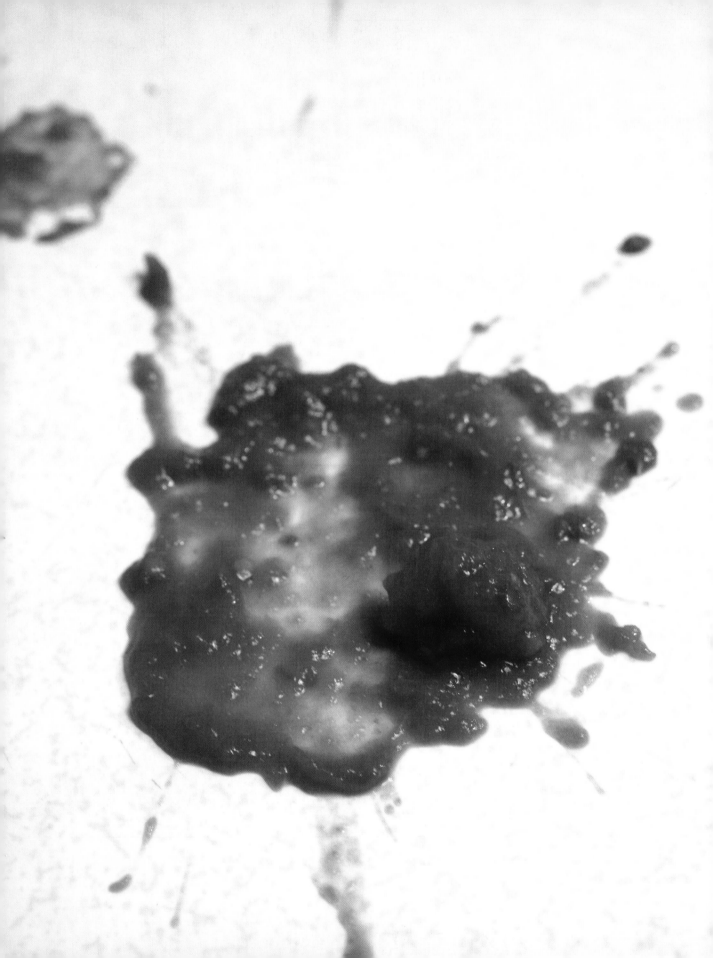

PAR PORTION
$0.59

Pour ı 4-5 portions
Temps ı 25 minutes

- Pâtes alimentaires (spaghettis, linguinis, fettucinis et *tutti quanti*)
- **15 ml (1 c. à soupe)** d'origan séché
- **15 ml (1 c. à soupe)** de basilic séché
- **1** oignon coupé grossièrement
- **2** gousses d'ail hachées
- **30 ml (2 c. à soupe)** d'huile d'olive
- **1** grosse conserve de **796 ml** de tomates concassées
- **2,5 ml (½ c. à thé)** de sucre
- **5 ml (1 c. à thé)** d'herbes salées (facultatif)
- Sel et poivre

SAUCE VITE FAITE

01 Dans une grande casserole, faites chauffer l'eau pour les <u>pâtes</u>. Pour quelques sous de plus, des pâtes de bonne qualité révolutionnent le plus humble des repas.
02 Dans une plus petite casserole, à feu élevé, faites revenir l'<u>origan</u>, le <u>basilic</u>, l'<u>oignon</u> et l'<u>ail</u> dans l'<u>huile</u> de 1 à 2 minutes.
03 Versez les <u>tomates</u>, ajoutez le <u>sucre</u>, les <u>herbes salées</u>, le <u>sel</u> et le <u>poivre</u> et réduisez le feu à moyen-élevé et laissez mijoter au moins 15 minutes. **04** Pendant ce temps, jetez vos pâtes dans la grande casserole. Lorsqu'elles seront cuites, laissez-les égoutter pendant que vous réduisez la sauce tomate en purée avec l'outil de votre choix. Ajustez-en l'assaisonnement. **05** Nappez les pâtes de la sauce et saupoudrez de fromage.

VERSION DE LUXE
UNE FOIS LA SAUCE RÉDUITE EN PURÉE, AJOUTEZ 125 À 250 ML DE CRÈME À 35 % ET ELLE DEVIENDRA COMME PAR MAGIE UNE SAUCE ROSÉE.

RECYCLAGE

On est ce que l'on mange… Quand vous aurez l'impression de devenir une pâte tant vous en mangez, utilisez votre sauce à toutes les sauces : nappez-la sur des escalopes de poulet (p. 80), des tranches d'aubergine ou de courgette grillées, gratinez… et retrouvez ainsi votre identité propre !

PAR PORTION $0.71

Pour ı 2-3 portions
Temps ı 15 minutes de préparation
+ 45 minutes de cuisson

- 1 oignon haché finement
- 1 carotte en dés fins
- 1 branche de céleri hachée finement
- 2 gousses d'ail hachées
- 15 ml (1 c. à soupe) d'huile d'olive
- 5 ml (1 c. à thé) de fines herbes
- 5 ml (1 c. à thé) de cumin moulu
- 2,5 ml (½ c. à thé) de cannelle
- 250 ml (1 tasse)
  de lentilles vertes du Puy
- 750 ml (3 tasses) de bouillon
- 1 feuille de laurier
- Sel et poivre au goût

CASSEROLE DE LENTILLES

01 Dans un chaudron à feu moyen-élevé, faites revenir les légumes dans l'huile, avec les fines herbes, le cumin et la cannelle environ 2 minutes, puis ajoutez les lentilles et faites revenir 1 autre minute, le temps que tout soit enduit d'huile et d'épices.

02 Versez le bouillon, ajoutez le laurier, le sel, le poivre et portez à ébullition. Une fois que l'eau bout, baissez le feu à moyen-doux et laissez cuire environ 45 minutes ou jusqu'à ce que les lentilles soient tendres. Profitez de ce temps pour faire cuire le riz qui accompagnera les lentilles.

VERSION DE LUXE
POUR UNE TARTE AUX LENTILLES: PROCÉDEZ COMME POUR LA RECETTE ORIGINALE, MAIS REMPLACEZ LA MOITIÉ DES LENTILLES DU PUY PAR DES LENTILLES ORANGES. DISPOSEZ LES LENTILLES CUITES DANS UNE PÂTE À TARTE (P. 68) PRÉCUITE, SAUPOUDREZ DE FÉTA ET ENFOURNEZ 10 MINUTES À 350°F.

Servez les lentilles froides en salade avec une vinaigrette au citron (p. 86) ou en soupe : allongez avec du jus de tomates et/ou du bouillon et épicez avec du piment de Cayenne, du gingembre et du curcuma.

Ça fait tellement longtemps que vos légumes sont dans le frigo qu'ils commencent à jouer au soccer ? Voici une meilleure façon de les occuper !

Pour | **Pour 4 personnes et deux lunchs**
Temps | **30 minutes**

- 30 ml (**2 c. à soupe**) d'huile ou de beurre
- **1** oignon et / ou **1** à **2** gousses d'ail
- Environ **1 litre** (**4 tasses**) de légumes coupés grossièrement (mélangez des carottes, des céleris et des panais)
- 15 ml (**1 c. à soupe**) de fines herbes
- **1,25 litre** (**5 tasses**) de bouillon
- 10 ml (**2 c. à thé**) d'herbes salées (facultatif)
- 60 ml (**¼ tasse**) de crème (facultatif)
- **Quelques pincées** de canelle et de muscade au goût
- Sel et poivre au goût

POTAGE AUX LÉGUMES

SI VOUS AIMEZ LES POTAGES CONSISTANTS METTEZ TOUT SIMPLEMENT MOINS D'EAU – – – –

01 Dans une grande casserole à feu moyen, versez l'<u>huile</u> et faites revenir l'<u>ail</u> et l'<u>oignon</u> environ 3 minutes. **02** Ajoutez les <u>légumes</u> et les <u>fines herbes</u> et poursuivez la cuisson environ 3 minutes. **03** Recouvrez de <u>bouillon</u> et ajoutez une bonne cuillerée d'<u>herbes salées</u>. Portez à ébullition, puis baissez le feu à moyen. Laissez mijoter jusqu'à ce que les légumes soient tendres, soit environ 20 minutes. **04** Passez ensuite au robot culinaire ou au mélangeur. **05** Rectifiez l'assaisonnement, ajoutez la <u>cannelle</u> et la <u>muscade</u>, un peu de <u>crème</u> si vous le désirez, brassez et servez.

POUR VARIER

Voici quelques combinaisons gagnantes testées dans nos laboratoires :
- Carottes-orange-gingembre
- Poireaux-pommes de terre-basilic
- Courgettes-curcuma
- Betterave-chou-fines herbes
- Tomate-poivron rouge-origan-maïs en grain (ajouté après avoir passé le potage au robot)

RECYCLAGE

Vous trouvez votre potage un peu fade ? C'est l'occasion rêvée d'user d'imagination et de vider le frigo ! Rehaussez votre concoction avec de vieux bouts de fromages, une portion de pâté chinois dans le congélateur depuis un mois, les restants de la veille, une cuillérée de miel, une pincée de Cayenne, la copie d'un examen que vous avez coulé. Bref, soyez inventifs ! Tous les coups sont permis, à condition de rester dans les limites du bon goût...

POUR VOTRE
BIEN-ÊTRE
ET CELUI DES
ARMOIRES DE
CUISINE, NE
REMPLISSEZ
PAS TROP LE
MÉLANGEUR

À MOINS QUE
VOUS NE
CRAIGNIEZ
PAS LES
ÉCLABOUSSURES

BOUFFE DE DÉPAN- NEUR

LORSQUE L'ÉPICERIE EST FERMÉE, ON PEUT TOUJOURS SE RABATTRE SUR LE DÉPANNEUR... RECETTES SANS PRÉTENTION AVEC CANNAGES ET AUTRES RESSOURCES DU BORD.

Pour ı 2 personnes + 2 restants
Temps ı 30 minutes

- 250 ml (**1 tasse**) de riz blanc non cuit
- 500 ml (**2 tasses**) de bouillon de poulet
- 1,25 ml (**¼ c. à thé**) de sauce piquante (ou plus)
- 2,5 ml (**½ c. à thé**) de gingembre moulu
- 30 ml (**2 c. à soupe**) de sauce soya
- 10 ml (**2 c. à thé**) de mélasse (ou de miel)
- Poivre au goût
- 30 ml (**2 c. à soupe**) d'huile
- 2 œufs battus
- 125 ml (**½ tasse**) de jambon cuit en lanières
- 1 conserve de **398 ml** de petits pois verts (enfin, les plus verts possible... dommage qu'on ne vende pas de pois surgelés au dépanneur)

Spécialité chinoise
des restos canadiens
ou spécialité canadienne
des restos chinois ?

En tout cas, ça dépanne !

RIZ FRIT

01 Faites cuire le riz tel qu'indiqué sur l'emballage (généralement, ça prend deux fois plus de liquide que de riz) en substituant l'eau par du bouillon de poulet. **02** Pendant ce temps, dans un petit bol, mélangez la sauce piquante, le gingembre, la sauce soya, la mélasse et le poivre. **03** Une fois le riz cuit, faites chauffer l'huile dans une poêle et ajoutez les œufs battus. Laissez cuire l'œuf quelques instants. Lorsque les œufs sont pris en un semblant d'omelette, brassez pour les brouiller. Ajoutez le jambon et poursuivez la cuisson quelques instants. **04** Transvidez le riz dans la poêle et versez la sauce. Faites frire en brassant pour bien enrober le riz de la sauce. **05** Ajoutez les petits pois, mélangez et servez aussitôt.

POUR VARIER

Vous avez maintenant une version dépannage du riz frit, mais si vous avez accès à une épicerie, vous pouvez améliorer substantiellement la recette (au point de rivaliser avec tout bon resto chinois-canadien qui se respecte). Faites frire des champignons et des oignons verts avant d'ajouter les œufs et la viande (si vous avez des restants de gros jambon ou de poulet, génial!). Remplacez les pois verts-bruns par des pois vraiment verts.

Pour ı 2 ou 3 personnes
Temps ı 15 minutes

- 3 œufs
- **180 ml (¾ tasse)** de lait
- **2,5 ml (½ c. à thé)** de vanille
- **30 ml (2 c. à soupe)** de sucre ou de sirop d'érable
- **2 pincées** de cannelle
- **30 ml (2 c. à soupe)** de beurre
- 6 tranches de pain

Un incontournable des grasses matinées. Et pour que la matinée soit bien grasse, ne lésinez pas sur le beurre

PAIN DORÉ

01 Dans un bol, cassez les <u>œufs</u>. Ajoutez le <u>lait</u>, la <u>vanille</u>, la <u>cannelle</u>, le <u>sucre</u> ou le <u>sirop</u> et brassez bien à l'aide d'un fouet. **02** Faites fondre 10 ml de <u>beurre</u> dans une poêle à feu moyen-élevé. **03** Une fois la poêle chaude (et avant que le beurre brunisse), imbibez une à une les <u>tranches de pain</u> dans la préparation d'œufs, égouttez légèrement et déposez les tranches dans la poêle. Puisque votre poêle ne peut sans doute pas contenir plus de deux tranches, allez-y par paires. Pour dorer le blason de cette recette toute simple, l'étape du trempage est cruciale : il faut bien imprégner les tranches de pain, mais éviter qu'elles ne soient complètement détrempées. Un art qui se peaufine avec la pratique ! **04** Lorsque l'une des faces du pain est bien dorée (après tout, c'est le but de cette recette !), retournez et faites dorer l'autre côté. **05** Répétez les opérations 2 et 3 pour les autres tranches de pain. **06** Servez avec une orgie de fruits et des cascades de sirop d'érable.

Ce n'est pas pour rien qu'on nomme aussi cette recette « pain perdu ». La préparation d'œufs permet de passer élégamment ses bouts de pain plus très frais. Essayez-la avec des croissants ou des brioches qui ont perdu de leur lustre ou avec des restants de pain aux raisins.

PAR PORTION
$0.66

Pour ı 6 belles crêpes + une ratée
Temps ı 15 minutes

- 310 ml (1 ¼ tasse) de lait
- 250 ml (1 tasse) de farine
- 2 œufs
- 15 ml (1 c. à soupe) de sucre
- 1 pincée de sel
- 20 ml (4 c. à thé) de beurre ou d'huile

CRÊPES

VOUS Y EMPILEREZ LES AUTRES

01 Dans un grand bol à l'aide d'un fouet, mélangez le lait, la farine, les œufs, le sucre et le sel jusqu'à obtenir une pâte homogène.
02 Dans une poêle, à feu moyen-élevé, chauffez 10 ml de beurre. Assurez-vous qu'il recouvre toute la surface de la poêle puis versez-y une louche de pâte. Faites tourner la poêle et arrangez-vous pour que la pâte s'y répande uniformément. **03** Après environ 1 minute, revirez la crêpe de bord et laissez-la dorer une autre minute. Retirez-la de la poêle. C'est connu, la première crêpe est

FAITES UN MOUVEMENT DE BALADI POUR AIDER LE GESTE

généralement ratée... ne vous laissez pas décourager ! Mettez dans une assiette et gardez au chaud. **04** Recommencez jusqu'à la fin du mélange, en prenant soin d'ajouter 5 ml de beurre dans la poêle toutes les deux crêpes et d'ajuster la température quand la poêle devient trop chaude.

VERSION DE LUXE
DANS UNE CASSEROLE, PORTEZ À ÉBULLITION 125 ML D'EAU, LE JUS D'UNE ORANGE ET 60 ML DE SUCRE EN REMUANT CONSTAMMENT, PUIS BAISSEZ LE FEU À MOYEN. APRÈS 12 MINUTES, AJOUTEZ 60 ML DE RHUM ET LAISSEZ MIJOTER ENCORE 2 MINUTES. NAPPEZ LA SAUCE TIÈDE SUR DES CRÊPES FOURRÉES DE CRÈME GLACÉE.

RECYCLAGE

Comme les crêpes se réchauffent bien au micro-ondes, vous pouvez en préparer une quantité industrielle en doublant ou en triplant la recette. Avec vos restes, faites des crêpes-repas : jambon-fromage-asperge, béchamel-thon (p. 138), fromage-ratatouille (p. 127) ou cheddar fort-compote de pommes (p. 103).

Pour ı 2 personnes
Temps ı 20 minutes

- 1 **pincée** de sel (pour la cuisson des pâtes)
- **375 ml** (1 ½ **tasse**) de macaronis non cuits
- 6 tranches de bacon
- **60 ml** (¼ **tasse**) de crème à 35 %
- **125** à **250 ml** (½ à **1 tasse**) de fromage ferme râpé (du parmesan, de préférence)
- Beaucoup de poivre
- 2 œufs

Cette Version donnerait sans doute de l'urticaire aux vrais Italiens, mais elle fait la job en cas de force majeure

SIMILI-CARBONARA

01 Dans une casserole, faites bouillir l'eau. Ajoutez une pincée de sel, puis les macaronis.
02 Pendant ce temps, faites cuire le bacon à la poêle (si vous ne craignez pas que l'appartement entier soit empli du doux parfum Bacon n° 5), au micro-ondes ou au four (ça sent quand même, mais un peu moins!). Émiettez le bacon cuit et mettez de côté. **03** Lorsque les pâtes sont cuites, égouttez-les et remettez-les dans la casserole à feu doux. **04** Ajoutez-y la

crème, le fromage et beaucoup de poivre et brassez bien pour enrober les pâtes.
05 Une fois le fromage fondu, cassez les œufs dans la casserole et brassez avec toute votre ardeur, de 30 secondes à une minute. Les œufs doivent épaissir légèrement sans cuire complètement, sans quoi vous vous retrouverez avec des mottons dans vos pâtes.
06 Versez les pâtes dans des bols, saupoudrez du bacon émietté, rajoutez encore un peu de poivre et dégustez.

Gâteau

- **125 ml (½ tasse)** de beurre fondu
- **250 ml (1 tasse)** de sucre
- **250 ml (1 tasse)** de lait
- **5 ml (1 c. à thé)** de vanille
- **3 œufs**
- **500 ml (2 tasses)** de farine
- **15 ml (1 c. à soupe)** de poudre à pâte
- **2,5 ml (½ c. à thé)** de sel

Glaçage

- **500 ml (2 tasses)** de sucre glace
- **45 ml (3 c. à soupe)** de lait ou de jus
- **5 ml (1 c. à thé)** de vanille
- **Quelques gouttes** de colorant alimentaire bleu (si vous tenez vraiment à faire comme sur la photo !)
- **125 ml (½ tasse)** de beurre à la température de la pièce

Pour ı 8 grosses parts
Temps ı 10 minutes de préparation + 20 à 50 minutes de cuisson

GÂTEAU
BLANC

01 Allumez le four à 350 °F. **02** Dans un grand bol à l'aide d'un fouet, mélangez bien le beurre et le sucre. **03** Ajoutez le lait, la vanille, les œufs et mélangez bien. **04** Ajoutez 250 ml de farine et mélangez vigoureusement pour obtenir une texture homogène, puis ajoutez le reste de la farine, la poudre à pâte, le sel et remélangez jusqu'à homogénéité. **05** Versez dans un gros moule beurré ou deux petits moules beurrés et enfournez de 40 à 50 minutes pour le gros moule, de 20 à 30 minutes pour les petits. Dans les deux cas, ils seront prêts quand vous piquerez le centre avec une fourchette et qu'elle sortira propre. **06** Pendant que le gâteau cuit, mélangez dans un bol à l'aide d'une fourchette le sucre, le lait, la vanille et le colorant du glaçage. Ajoutez le beurre et battez bien jusqu'à ce que ce soit lisse. **07** Laissez tiédir le gâteau avant de le démouler. Lorsqu'il aura refroidi, recouvrez-le du glaçage.

NE BATTEZ PAS TROP LONGTEMPS, LE BEURRE FERA DES GRUMEAUX (C'EST ENCORE BON, MAIS MOINS CUTE)

VERSION DE LUXE
DANS UNE CASSEROLE, À FEU MOYEN-ÉLEVÉ, FAITES CHAUFFER 250 ML DE CASSONADE, 250 ML DE CRÈME À 35 % ET 15 ML DE BEURRE EN REMUANT SANS ARRÊT LES 5 PREMIÈRES MINUTES, PUIS ÇA ET LÀ LES 15 AUTRES MINUTES. RETIREZ DU FEU, LAISSEZ REFROIDIR ET RECOUVREZ-EN LE GÂTEAU. COCHON !

Pour ı 2 personnes
Temps ı 25 minutes

- 375 ml (1 ½ **tasse**) de salsa
- **400 ml** ou ½ conserve
  de tomates concassées
- **15 ml** (1 c. à soupe) de poudre de chili
- **7,5 ml** (½ c. à soupe) de cumin
- **2 pincées** de piment de Cayenne
  (si la salsa n'était pas déjà assez
  « picante »)
- Sel et poivre au goût
- **4 œufs**

Rien de mieux que des œufs et un peu de piquant pour se réveiller les papilles et se remettre d'une soirée de fiesta.

ŒUFS À LA MEXICAINE

01 Dans une poêle, versez la salsa, les tomates et les épices et laissez mijoter à feu moyen au moins 12 minutes, le temps que les arômes se mêlent bien et que la sauce caramélise un peu. Remettez à plus tard la siesta puisqu'il faut remuer le mélange de temps en temps. **02** Goûtez la sauce puis ajoutez du sel, du poivre et du piquant au besoin. **03** À l'aide d'une spatule, faites une espèce de trou dans la sauce et cassez-y un œuf, en faisant bien attention de ne pas crever le jaune (c'est le mélange de la sauce et du jaune coulant qui est si bon). Répétez cette opération un brin délicate pour les trois autres œufs si votre poêle est assez grande pour les contenir tous. Sinon, allez-y en paquet de deux. **04** Continuez la cuisson le temps que le blanc de l'œuf soit cuit. En général, ça prend environ 5 minutes. Vous pouvez servir les œufs sur des toasts ou des tortillas de maïs (comme le font les Mexicains). Après le repas, la siesta (comme le font les Mexicains) !

VERSION DE LUXE
SI VOUS AIMEZ LA CORIANDRE ET QU'UNE BOTTE DE CETTE HERBE TRAÎNE PAR HASARD DANS LE FRIGO, PARSEMEZ-EN VOS ŒUFS.

Haricots jaunes
entiers
CANADA
DE FANTAISIE
14 oz. liq. 398 ml
FÈVES MÉLANGÉES
SALADA MIXTA DE FEIJÃO
540 mL 19 oz liq
Quality Products
CORNED BEEF
PRODUCT OF BRAZIL
INGREDIENTS: COOKED BEEF, BEEF, WATER, SALT, SUGAR, SODIUM NITRITE
NET WEIGHT 340g
NET WEIGHT 340g
BRAND
HEREFORD
CORNED BEEF
PRODUCT OF BRAZIL
PREPARED FOR WEDDEL LIMITED, LAVAL CANADA H7R 6E9
INGREDIENTS: COOKED BEEF, BEEF, WATER, SALT, SUGAR, SODIUM NITRITE

Pour | 2 soupers + 2 lunchs
Temps | 15 minutes

- 45 ml (3 c. à soupe) d'huile
- 45 ml (3 c. à soupe) de vinaigre
- 7,5 ml (½ c. à soupe) poudre de chili
- 5 ml (1 c. à thé) d'origan séché
- 5 ml (1 c. à thé) de coriandre moulue
- 2,5 ml (½ c. à thé) de cumin moulu
- 1 **pincée** de piment de Cayenne
- 1 conserve de **540 ml** de légumineuses mélangées égouttées
- 1 conserve de **398 ml** de fèves vertes égouttées
- 1 conserve de **350 ml** de maïs en grains égoutté
- Sel et poivre au goût

SALADE DE LÉGUMINEUSES

01 Dans un grand bol, mélangez l'huile, le vinaigre, la poudre de chili, l'origan, la coriandre, le cumin et le piment de Cayenne
02 Ajoutez-y les légumineuses, les fèves vertes et le maïs. Mélangez bien, rectifiez l'assaisonnement, et si vous n'êtes pas en train de mourir de faim, laissez tremper 1 heure au frigo. Comme c'est le genre de truc qui se bonifie en macérant, pourquoi ne pas en faire le double de la recette?

POUR VARIER

Pour plus de consistance, faites cuire au choix 250 ml de semoule de blé dur (couscous), d'orge, de quinoa ou de pâte courte. Laissez refroidir et ajoutez à la salade.

Pour rehausser le teint de votre salade, ajoutez des éléments frais trouvés au fond du frigo : une carotte (à râper), un oignon vert (à hacher), un poivron (à couper en dés) ou tout autre légume (à passer).

Pour | 4 portions
Temps | 15 minutes de préparation
+ 1 heure de réfrigération

- **200 g** de chocolat noir
  (meilleure la qualité, meilleure la mousse!)
- **4 œufs**
- **10 ml (2 c. à thé)** de sucre
- **2 pincées** de sel

Un truc infaillible pour soudoyer un proprio qui veut augmenter le loyer, distraire les nièces qui débarquent à l'improviste ou... pour votre propre gourmandise.

MOUSSE AU CHOCOLAT

01 Faites fondre le chocolat (au micro-ondes ou dans une poêle à feu doux) et laissez-le refroidir un peu. **02** Dans un grand bol, mélangez vigoureusement les jaunes d'œufs et le chocolat tiède (un chocolat trop chaud fera cuire l'œuf, d'où l'idée de le laisser refroidir). **03** Dans un autre bol, montez les blancs d'œufs en neige avec le sucre et le sel au batteur électrique jusqu'à obtenir des pics fermes (environ 3 minutes à force maximale).

04 À l'aide d'une spatule, incorporez délicatement les blancs d'œufs à la préparation chocolatée, en prenant soin de ne pas trop brasser pour garder les blancs mousseux. Allez-y d'un mouvement lent et délicat, façon tai-chi. **05** Versez la préparation dans des pots individuels et réfrigérez au moins 1 heure.

VERSION DE LUXE
POUR DONNER UNE PLUS-VALUE À VOTRE MOUSSE, AJOUTEZ AU CHOCOLAT FONDU 60 ML DE CAFÉ NOIR FORT. VOUS POUVEZ AUSSI RELEVER LE GOÛT AVEC 10 ML D'UNE ÉPICE AU CHOIX - GINGEMBRE MOULU, CANNELLE OU CARDAMOME - INCORPORÉE AU CHOCOLAT.

Remerciements

Merci à ceux qui nous ont si gentiment laissé voler leurs recettes : Ludger Côté, Gilles Desjardins, Joëlle Desjardins, Marilou Garon, Pénélope Garon, Louise Goulet, Jean-François Lapierre, Denise Poirier, Colombe Pomerleau et Louise Sasseville.

Merci à nos infatigables goûteux et testeux de recettes : Pierre-Yves Bernard, Christine Bissonnette, Magali Boissonnade et Martin Laquerre, Roxane Desjardins et Jean-Philippe Lebel, Rose Normandin et Nicolas Grou, Élisabeth Reichel, Geneviève St-Louis et Éric Aubertin.

Merci à nos modèles et à ceux qui nous ont accueilli chez eux pour nos photos : Adélaïde et Hedwidge Dumont et leurs parents Mathilde et Jean-Simon, Audrée et Byron le chien, Christopher Blacklock, Louise Dupaul, Greg le cochon, Sylvain, Pierrick Jasmin, Michel Laforêt, Véronique Laliberté, les bouchers de chez Slovenia, le Jardin mobile à Québec, Caroline Isabelle, Sam Perreault et Lya, Pierre et Diane Monnier, la Fruiterie du Mile-End, Christian Perreault et Stéphanie Laplante pour le don du poisson chantant, Michel Pomerleau, Mathilde Dumont et Jean-Simon Lapointe, Deplhi Variétés pour leur vaste choix de conserves.

Merci à Patrick Leimgruber pour les conseils et à David Bombardier pour sa participation à la création de la maquette initiale.

Merci à Chantal Poisson et Nathalie St-Pierre pour leur indispensable travail d'infographie.

Pour tout le reste, merci à Carla DaCosta-Garon et Emmanuel Garon, Hélène et Jean-Marc Lafond.

A

Artichaut
Dip aux artichauts, 27
Aubergine
Baba ghanouj (voir Humus,
Pour varier), 37
Caviar d'aubergine, 30
Ratatouille, 127
Avocat
Guacamole, 38

B

Bacon
Simili-Carbonara, 159
Banane flambée, 94
Banane
Banane flambée, 94
Pain aux bananes, 112
Béchamel (voir
Sauce béchamel)
Biscuits au gruau, 105
**Biscuits aux pépites
de chocolat, 106**
Bœuf
Bœuf mariné au gingembre
(voir Poulet mariné au
gingembre, Pour varier), 70
Bœuf mijoté, 59
Chili con carne, 136
Goulache, 73
Roast beef, 128
Sauce à spag, 50
Bœuf mijoté, 59
Bouillon de poulet maison
(voir Poulet rôti,
Recyclage), 110
Boules d'énergie, 100
Brocoli
Sauté de légumes
(voir Recyclage), 84
Brownies, 45

C

Cari de porc, 64
Carotte
Bœuf mijoté, 59
Couscous presque royal, 75

Muffins aux carottes, 99
Potage aux légumes, 148
Poulet rôti, 116
Ragoût de poulet, 53
Sauté de légumes
(voir Recyclage), 84
Vinaigrette de base
(voir Pour varier), 86
Casserole de lentilles, 146
Caviar d'aubergine, 30
Céleri
Bœuf mijoté, 59
Potage aux légumes, 148
Poulet rôti, 116
Ragoût de poulet, 53
Sauté de légumes
(voir Recyclage), 84
Tourte au poisson, 68
Vinaigrette de base
(voir Pour varier), 86
Champignon
Riz frit
(voir Pour varier), 153
Sauté de légumes
(voir Recyclage), 84
Tourte au poisson, 68
Chili con carne, 136
Chips de pita, 33
Chocolat
Biscuits aux pépites
de chocolat, 106
Brownies, 45
Croustade aux pommes
(voir Version de luxe), 54
Gâteau à la pâte d'amandes
(voir Version de luxe), 76
Meringues au chocolat, 40
Mousse au chocolat, 167
Pain aux bananes
(voir Version de luxe), 112
Chou
Couscous presque royal, 75
Ragoût de poulet, 53
Sauté de légumes
(voir Recyclage), 84
Vinaigrette de base
(voir Pour varier), 86

Chou-fleur
Gratin de chou-fleur, 124
Sauté de légumes
(voir Recyclage), 84
Citron
Côtelettes au ketchup, 90
Tiramisu au citron, 67
Vinaigrette de base, 86
Compote de fruits, 103
Coriandre fraîche
Cari de porc, 64
Guacamole, 38
Œufs à la mexicaine
(voir Version de luxe), 162
Côtelettes au ketchup, 90
Courge spaghetti
Sauce à spag
(voir Pour varier), 50
Courgette
Couscous presque royal, 75
Ratatouille, 127
Sauté de légumes, 84
Couscous presque royal 75
Crème
Filet de porc sauce
moutarde, 123
Gâteau blanc
(voir Version de luxe), 161
Meringues au chocolat
(voir Version de luxe), 40
Sauce vite faite
(voir Version de luxe), 145
Simili-Carbonara, 159
Crêpes, 156
Crevette
Crevettes épicées, 120
Tourte au poisson, 68
Crevettes épicées, 120
Croquettes de saumon, 89
Croustade aux pommes, 54

D

Dip aux artichauts, 27

E

Épinard
Dip aux artichauts
(voir Pour varier), 27

Gratin de chou-fleur
(voir Pour varier), 124
Salade de goberge (voir
Sandwich à la goberge,
Recyclage), 93
Sauté de légumes
(voir Recyclage), 84
Spread au tofu, 28
**Escalopes de poulet
croustillantes, 80**

F

**Filet de porc sauce moutarde,
123**
Foie de volaille
Pâté de foie de volaille, 34
Fromage
Crêpes (voir Recyclage), 156
Dip aux artichauts, 27
Escalopes de poulet
croustillantes, 80
Gratin de chou-fleur, 124
Pain aux légumineuses, 142
Patates au thon, 138
Ratatouille
(voir Recyclage), 127
Salade de chèvre chaud, 63
Simili-Carbonara, 159
Soupe à l'oignon gratinée, 47
Tarte aux lentilles
(voir Casserole de lentilles,
Version de luxe), 146
Fromage à la crème
Gâteau au fromage, 119
Glaçage au fromage à la
crème (voir Muffins aux
carottes,
Version de luxe), 99
Fruits frais
Compote de fruits, 103
Croustade aux pommes
(voir Version de luxe), 54
Dessert au lait de coco (voir
Cari de porc, Recyclage), 64
Gâteau au fromage, 119
Meringues au chocolat
(voir Version de luxe), 40
Smoothie, 110

Fruits séchés
Biscuits au gruau, 105
Boules d'énergie, 100
Compote de fruits
(voir Pour varier), 103
Muffins aux carottes, 99
Noix aux épices
(voir Pour varier), 109

G

Gâteau à la pâte d'amandes, 76
Gâteau au fromage, 119
Gâteau blanc, 161
Glaçage
Glaçage à la vanille
(voir Gâteau blanc), 161
Glaçage au fromage à la crème
(voir Muffins aux carottes,
Version de luxe), 99
Sauce sucre à la crème
(voir Gâteau blanc, Version
de luxe), 161
Goberge
Sandwich à la goberge, 93
Tourte au poisson, 68
Goulache, 73
Graine de tournesol
Boules d'énergie, 100
Noix aux épices, 109
Gratin de chou-fleur, 124
Gros jambon, 48
Gruau
Biscuits au gruau, 105
Croustade aux pommes, 54
Guacamole, 38

H

Humus, 37

J

Jambon
Crêpes (voir Recyclage), 156
Gratin de chou-fleur (voir
Pour varier), p. 124
Gros jambon, 48
Ratatouille
(voir Recyclage), p. 127
Riz frit, 153

Jus de fruits
Smoothie, 110

L

Lait de coco
Cari de porc, 64
Ragoût de poulet
(voir Pour varier), 53
Smoothie
(voir Pour varier), 110
Légumineuses
Cari de pois chiches
(voir Cari de porc,
Pour varier), 64
Casserole de lentilles, 146
Chili con carne, 136
Couscous presque royal, 75
Humus, 37
Pain aux légumineuses, 142
Salade de légumineuses, 165

M

Maïs
Chili con carne, 136
Potage aux légumes
(voir Pour varier), 148
Salade de légumineuses, 165
Sandwich à la goberge, 93
Merguez
Couscous presque royal, 75
Meringues au chocolat, 40
Mousse au chocolat, 167
Muffins aux carottes, 99

N

Navet
Bœuf mijoté, 59
Couscous presque royal, 75
Ragoût de poulet, 53
Noix
Biscuits aux pépites
de chocolat (voir Version
de luxe), 106
Brownies
(voir Pour varier), 45
Gâteau à la pâte
d'amandes, 76

Noix aux épices, 109
Pain aux bananes, 112
Noix aux épices, 109

O

Œuf
Crêpes, 156
Meringues au chocolat, 40
Mousse au chocolat, 167
Œufs à la mexicaine, 162
Pain doré, 155
Riz frit, 153
Sandwich aux œufs
(voir Sandwich à la goberge,
Pour varier), 93
Simili-Carbonara, 159
Tortilla espagnole, 141
Œufs à la mexicaine, 162
Oignon
Soupe à l'oignon gratinée, 47
Tortilla espagnole, 141
Orange
Banane flambée
(voir Version de luxe), 94
Biscuits au gruau, 105
Boules d'énergie, 100
Crêpes
(voir Version de luxe), 156

P

Pain (voir aussi Sandwich)
Chapelure maison
(voir Croquette de saumon,
Recyclage), 89
Chips de pita, 33
Croûtons (voir Caviar
d'aubergine, Recyclage), 30
Dip aux artichauts, 27
Pain doré, 155
Salade de chèvre chaud, 63
Soupe à l'oignon gratinée, 47
Pain aux bananes, 112
Pain aux légumineuses, 142
Pain doré, 155
Panais
Potage aux légumes, 148
Patate
Bœuf mijoté, 59

Patates au thon, 138
Potage aux légumes
(voir Pour varier), 148
Poulet rôti, 116
Ragoût de poulet, 53
Tortilla espagnole, 141
Patates au thon, 138
Pâte à tarte
Tourte au poisson, 68
Pâté de foie de volaille, 34
Pâtes alimentaires
Pâtes au thon (voir Patates
au thon, Pour varier), 138
Ratatouille
(voir Recyclage), 127
Salade de goberge (voir
Sandwich à la goberge,
Recyclage), 93
Salade de légumineuses
(voir Pour varier), 165
Salade de pâtes (voir
Vinaigrette de base, Pour
varier), 86
Sauce à spag, 50
Sauce vite faite, 145
Sauté de légumes, 84
Simili-Carbonara, 159
Pilons de poulet BBQ, 135
Poireaux
Potage aux légumes
(voir Pour varier), 148
Sauté de légumes
(voir Recyclage), 84
Vinaigrette de base
(voir Pour varier), 86
Poisson
Croquette de saumon, 89
Patates au thon, 138
Poisson blanc poêlé, 83
Sandwich à la goberge, 93
Saumon au four, 131
Tourte au poisson, 68
Poisson blanc poêlé, 83
Pois verts
Riz frit, 153
Poivron
Cari de porc, 64
Chili con carne, 139

Potage aux légumes
(voir Pour varier), 148
Ratatouille, 127
Salade de légumineuses
(voir Recyclage), 165
Sandwich à la goberge, 93
Sauté de légumes, 84
Pomme
Croustade aux pommes, 54
Muffins aux carottes, 99
Rôti de porc aux pommes, 57
Porc
Cari de porc, 64
Côtelettes au ketchup, 90
Filet de porc sauce moutarde,
123
Porc épicé (voir Crevettes
épicées, Pour varier), 120
Rôti de porc aux pommes, 57
Sauce à spag, 50
Potage aux légumes, 148
Poulet
Couscous presque royal, 75
Escalopes de poulet
croustillantes, 80
Gratin de chou-fleur (voir
Pour varier), 124
Pilons de poulet BBQ, 135
Poulet épicé (voir Crevettes
épicées, Pour varier), 120
Poulet mariné au
gingembre, 70
Poulet rôti, 116
Ragoût de poulet, 53
Riz frit (voir Pour varier),
p. 153
Sauté de légumes
(variante), 84
**Poulet mariné au gingembre,
70**
Poulet rôti, 116

R

Ragoût de poulet, 53
Ratatouille, 127
Riz frit, 153
Roast beef, 128
Rôti de porc aux pommes, 57

S

Salade
  Salade de chèvre chaud, 63
  Salade de goberge (voir
  Sandwich à la goberge,
  Recyclage), 93
  Salade de jambon (voir Gros
  jambon, Recyclage), 48
  Salade de légumineuses, 165
  Salade de lentilles (voir
  Casserole de lentilles,
  Recyclage), 146
  Vinaigrette de base, 86
Salade de chèvre chaud, 63
Salade de légumineuses, 165
Salsa
  Guacamole
  (voir Pour varier), 38
  Œufs à la mexicaine, 162
Sandwich
  Gros jambon,
  (voir Recyclage), 48
  Humus, 37
  Pâté de foie de volaille
  (voir Recyclage), 34
  Poulet rôti
  (voir Recyclage), 116
  Ratatouille
  (voir Recyclage), 127
  Roast beef
  (voir Recyclage), 128
  Rôti de porc aux pommes
  (voir Recyclage), 57
  Sandwich à la goberge, 93
  Saumon au four
  (voir Recyclage), 131
  Spread au tofu (variante), 28
Sandwich à la goberge, 93
Sauce à spag, 50
Sauce béchamel
  Crêpes (voir Recyclage), 156
  Patates au thon 138
  Tourte au poisson, 68
Sauce vite faite
  (sauce tomate), 145
Saumon au four, 131
Sauté de légumes, 84

Semoule
  Couscous presque royal, 75
  Ragoût de poulet, 53
  Salade de légumineuses
  (voir Pour varier), 165
  Vinaigrette de base
  (voir Pour varier), 86
Simili-Carbonara, 159
Smoothie, 110
Soupe
  Bouillon de poulet (voir
  Poulet rôti, Recyclage), 116
  Potage aux légumes, 148
  Soupe à l'oignon gratinée, 47
  Soupe aux lentilles (voir
  Casserole de lentilles,
  Recyclage), 146
  Soupe mexicaine (voir Chili
  con carne, Recyclage), 136
  Soupe marocaine (voir
  Couscous presque royal,
  Recyclage), 75
Soupe à l'oignon gratinée, 47
Spread au tofu, 28

T

Tiramisu au citron, 67
Tofu
  Ratatouille
  (voir Pour varier), 127
  Sauté de légumes, 84
  Smoothie
  (voir Pour varier), 110
  Spread au tofu, 28
Tomate
  Casserole de lentilles
  (voir Recyclage), 146
  Chili con carne, 136
  Couscous presque royal, 75
  Œufs à la mexicaine, 162
  Pilons de poulet BBQ, 135
  Potage aux légumes
  (voir Pour varier), 148
  Ratatouille, 127
  Sauce à spag, 50
  Sauce vierge (voir Poisson
  blanc poêlé, Version
  de luxe), 83

Sauce vite faite, 145
Tortilla espagnole, 141
Tourte au poisson, 68

V

Veau
  Sauce à spag, 50
  Veau à la milanaise
  (voir Escalopes de
  poulet croustillantes,
  Pour varier), 80
Vinaigrette de base, 86

Y

Yogourt
  Salade de goberge
  (voir Sandwich à la goberge,
  Recyclage), 93
  Smoothie, 110
  Spread au tofu
  (voir Pour varier), 28
  Tiramisu au citron, 67
  Vinaigrette de base
  (voir Pour varier), 86

Index des recettes

Entrées et bouchées
Caviar d'aubergine, 30
Chips de pita, 33
Dip aux artichauts, 27
Guacamole, 38
Humus, 37
Noix aux épices, 109
Pâté de foie de volaille, 34
Spread au tofu, 28

Rôti de porc aux
    pommes, 57
Sauce à spag, 50
Sauce vite faite, 145
Saumon au four, 131
Sauté de légumes, 84
Simili-Carbonara, 159
Tortilla espagnole, 141
Tourte au poisson, 68

Soupes et salades
Potage aux légumes, 148
Salade de chèvre chaud, 63
Salade de légumineuses, 165
Sandwich à la goberge, 93
Soupe à l'oignon gratinée, 47
Vinaigrette de base, 86

Plats principaux
Bœuf mijoté, 59
Cari de porc, 64
Casserole de lentilles, 146
Chili con carne, 136
Côtelettes au ketchup, 90
Couscous presque royal, 75
Crêpes, 156
Crevettes épicées, 120
Croquette de saumon, 89
Escalopes de poulet
    croustillantes, 80
Filet de porc sauce moutarde,
    123
Goulache, 73
Gratin de chou-fleur, 124
Gros jambon, 48
Œufs à la mexicaine, 162
Pain aux légumineuses, 142
Patates au thon, 138
Pilons de poulet BBQ, 135
Poisson blanc poêlé, 83
Poulet mariné au gingembre, 70
Poulet rôti, 116
Ragoût de poulet, 53
Ratatouille, 127
Riz frit, 153
Roast beef, 128

Desserts et collations
Banane flambée, 94
Biscuits au gruau, 105
Biscuits aux pépites
    de chocolat, 106
Boules d'énergie, 100
Brownies, 45
Compote de fruits, 103
Croustade aux pommes, 54
Gâteau à la pâte d'amandes, 76
Gâteau au fromage, 119
Gâteau blanc, 161
Meringues au chocolat, 40
Mousse au chocolat, 167
Muffins aux carottes, 99
Pain aux bananes, 112
Pain doré, 155
Smoothie, 110
Tiramisu au citron, 67

Notes

Notes

Cet ouvrage a été composé en Chaparral Pro Light 10,5pt / 15 pt et achevé d'imprimer en octobre 2008 sur les presses de Transcontinental Interglobe, Canada.